KB103681

LOVELESS
(러브리스/사랑이 없는)

LOVELESS

발 행 | 2024년 4월 23일
저 자 | 김수정
펴낸이 | 한건희
펴낸곳 | 주식회사 부크크
출판사등록 | 2014.07.15.(제2014-16호)
주 소 | 서울특별시 금천구 가산디지털1로 119 SK트윈타워 A동 305호
전 화 | 1670-8316
이메일 | info@bookk.co.kr

ISBN | 979-11-410-8229-1

www.bookk.co.kr

LOVELESS

김수정 지음

CONTENT

LOVELESS 등장인물 소개

김하나-17세. 악령술사이자 고등학생. 어린 나이에 가정폭력에 고아로 버려져 죽거나 고아원에 갈 위기에 처하였으나 악마 사가의 도움으로 악령술사가 되었다.

사가-578세. 악마의 왕 루시퍼의 악마. 멀끔하고 잘생기고 예쁘고 다 갖춘 외모에 농익고도 잘생긴 목소리로
다 갖춘 완벽한 악마이다. 원래 모습은 흉측하지만. 늘 완벽한 외모와 목소리의 모습으로 다니며, 사람들의 눈에 보이지 않는다. 검정색과 적색이 혼합된 수트를 입고 다닌다.

김나연-48세. 악령술사들이 모인 직장의 여사장. 악령술사이며, 악마와 계약함으로써 거지에서 부자로, 사장으로 거듭나게 되었다. 늘 여유로운 척 하는 여자이다.

치키-578세. 남성 악마이며 사가의 베스트 프렌드.

도정희-17세. 폴라로이드 사진기를 들고 다니며, 돈

많이 버는 사진사가 되어 부자가 되는 게 꿈인
이상한 여학생.

비카-1021세. 원래 모습은 메두사의 모습을 한 여성
악마. 원래 모습이 뱀의 여성 괴물인 메두사 모습이기
때문에 몹시 흉측하다. 인간 모습으로 변신했을 때는
172cm의 여성으로써는 장신에 무척 아름다운 외모
이기 때문에 거의 인간 모습으로 변신해서 다닌다.

길봉구-22세. 유명한 역술가를 꿈꾸는 평범한 남자.
여성 악마 비카와 계약했다. 이름과는 다르게 큰
키와 잘생긴 외모를 가졌다.

제밀린-14세. 악령에 빙의 된 소녀.

노정의-27세. 사탄과 계약하기를 원했으나 계약하지
못하자, 사가가 악마라는 정체를 알게되고 악마 사가
와
계약한 김하나를 시기질투하여 앙심을 품고 사가와 하
나를 괴롭히나, 곧 붙잡힌다. 젊은 여자.

LOVELESS

1.

BGM:비비(BIBI) - Sugar Rush

"야, 이 쌍 년아-!!!"

중년 남성의 강력한 욕짓꺼리와 함께 술병을 들고 쫓아오는

소리가 들렸다.

저 중년 남성은 우리 아버지가 아니리라.

난 생각하고 또 생각했다.

도망치고 도망친 곳은 아파트 앞 놀이터 앞이었다.

그제서야 안심하고 그 놀이터에서 쉴 수 있었다.

지금 시각, 밤 10시 01분.

내일이면 학교에 가야하지만 난 집에서 쉴 수 없다.

엄마는 일찍 집을 나갔고, 엄마와 아빠는 이혼했다.

내일이면 아빠한테 난 버림받을 예정이다.

아빠가 날 버리겠다고 했다.

*

내일 아침.

어제 아빠한테 맞아서 아픈 몸을 억지로 일으키고선

난장판이 되버린 집 안을 들여다보았다.

그런데, 아빠가 없다.

"아빠가.. 어디 갔지?"

내가 혼잣말 하며 부엌으로 갔다.

부엌에는 편지가 하나 있었다.

-하나에게-

아빠의 손글씨체다.

-하나야. 엄마마저 네 곁을 떠나고 나도 네 곁을
떠나게 되는 구나. 그 동안 괴롭혀서 미안했다.

아빠는 돈이 없어 널 키울 수 없다. 널 버리기로 했다.

새엄마가 널 거두어줄 수가 없다고 하는 구나. 미안하
다.

혼자서라도 잘 살거라. 다시 한 번 미안하다.-

아빠가 날 버렸다.

정말로.

*

나이 17살에 혈혈단신 천애고아가 되어버린 나는 닥치
는대로
일자리를 알아봤지만 돌아오는 대답은 안 돼요, 하나
뿐이었다.

결국 나는 돈 하나도 없이 길바닥에 나앉게 생겼다.

결국 고아원을 알아보는 처지가 되어버렸다.

그날 밤.

문을 꼭꼭 잠궜지만 무섭다고 느껴졌던 그날 밤.

그날 밤은 내가 이 세상에서 사랑이라곤 하나도 없다
고 느껴졌던

그 밤이었다.

"너구나. 날 부른 게."

농익고도 잘생긴 남성의 목소리에 내가 눈을 떴다.

누워있었는데 말이다.

그 남성은 내 방 창문을 열고 들어와 내가 자고 있던
거실에 서있었다.

"....누... 누구세요?? 겨, 경찰 불러요??"

김하나가 말했다.

"....부를 테면 불러봐. 경찰도 날 못 이기니까."

그 남성이 말했다.

"......."

하나가 벙쪘다.

"그나저나, 너 꼴이 말이 아니구나. 곧 있으면 길바닥
에 나앉는

신세가 될텐데. 고아원은 알아봤고?"

그 남성이 말했다.

"....내 말에 대답이나 하세요. 곧 죽을지도 모르는 입
장에,

누군지는 알아보고 죽어야겠...."

"악마. 난 우리들의 왕 루시퍼님의 강력한 악령 중 하나이다.

귀신, 마귀라고도 하지. 내 이름은 사가이다."

사가가 말했다.

"....마, 말도 안 돼!! 이렇게 완벽한 남자가... 귀신이라고??"

하나가 경악하며 말했다.

"...우리들의 왕 루시퍼님이 완벽하니까. 우린 적색과 검정색을 좋아한다.

그 색이 우리의 상징색이거든."

사가가 말했다.

어쩐지, 사가의 옷이 검정색과 적색으로 도배되어있다.

검정색과 적색으로 혼합되어있는 수트를 입은 사가는 그야말로 완벽

그 자체였다.

"저에겐 무슨 볼 일 이시죠?"

하나가 말했다.

"이름도 참 구리군. 하나라니.... '님'자 하나만 붙이면 '하나님'이잖아?

불길해. 그래서 안 오려고 했는데..... 네가 날 불렀다."

사가가 말했다.

"아니, 내가 언제 불렀다고 그러세요?"

하나가 말했다.

"넌   세상을   좋아하지?   세상엔   사랑이   없다.
LOVELESS라고도 하지.
넌 세상을 짝사랑하고 있어! 그래서 내가 온 거야!"
사가가 말했다.
"..뭐... 뭐라고요?"
하나가 말했다.

*

그들의 신, 창조주가 눈을 떴다.
"악마 사가가 김하나에게 다가가고 있습니다.
어떻게 할까요? 그를 저지할까요?"
창조주의 천사가 창조주에게 물었다.
"그러지 말거라. 알아서 우리에게 돌아올테니."
창조주가 말했다.
"하지만...."
창조주의 천사가 말했다.
"....."
창조주가 말없이 심판대를 바라보았다.

*

"내가 널 악령술사로 만들어주겠다."

사가가 말했다.

'그래. 사랑이 없는데, 내가 뭘 할 수 있겠어.'

하나가 생각했다.

"할게요! 악령술사란 거! 그리고... 계약도!"

하나가 말했다.

조금은 대담하게.

＊

"악령술사가 되었는데, 이제 뭘 하면 되는 거예요?"

하나가 사가에게 물었다.

"간단해. 사람들에게 악령을 부리는 모습을

보여주거나, 악령을 내쫓는 모습을 보여주면 돼.

다 쇼지만."

사가가 말했다.

"그렇구나..."

하나가 말했다.

"...그나저나, 넌 내 모습을 보고도 첫 눈에 반하지 않
는

눈치다? 역시, 내가 택한 사람 다워."

사가가 말했다.

"...그 쪽, 솔직히 내 스타일이긴 하지만, 이런 공식적
인

자리에서 그 쪽을 좋아하고 싶진 않거든요."

하나가 말했다.

그러자 사가가 피식 하고 웃었다.

"상관 없어. 난 어차피 널 좋아하지 않으니까."

사가가 말했다.

그 말에 하나의 마음에 쐐기가 하나 턱 하고 박히는
것 같았다.

하나는 애써 아닌 척 하며 웃었다.

"이제 뭘 하면 되죠?"

하나가 말했다.

*

온갖 무서운 모습을 한 악마들의 모습이다.

원래 모습을 한 악마들의 모습은 끔찍 그 자체였다.

".....이 악마들을 쫓아내면 되는 거야. 잘 할 수 있지?"

다른 사람들의 눈에는 보이지 않는 사가가 멋있는
모습으로 하나에게 말했다.

하나가 고개를 끄덕였다.

하나가 대충 지휘봉을 휘젓자. 원래의 무서운 모습을
한

악마들이 장단을 맞춰주며 사라지는 척 연기했다.

"으어억!...."

"으악!!"

그렇게 악마들이 사라졌다.

".....1년 후에 다시 보자. 가소로운 소녀여."

사라지는 척 연지했던 악마가 멋있는 모습으로 나타나
하나의 귀에 귓속말을 하며 사라졌다.

"고맙습니다!! 저희 집이 그 동안 얼마나 공포에
떨었는지....."

고위층의 가족들이 눈물을 훔치며 하나의 손을 잡으며
감사의 인사를 전했다.

"...뭐 이런 것 가지고 그러세요. 아무 것도 아닙니다."

하나가 말했다.

*

".....악마의 영향을 직접적으로 받아보니 어때? 기분이
좋아?"

사가가 말했다.

"....기분이 좋긴요. 죽으면 지옥 갈 생각에 끔찍하구
만."

하나가 말했다.

"....그래도 김하나 인생에 한 건 했잖아? 그것만으로
선방한 거 아닌가?"

사가가 말했다.

"그나저나, 악마와의 계약서, 진짜로 효력이 있는거예요?"

하나가 말했다.

"....아니. 진짜 효력은 없어. 네가 지옥에 떨어지기 전까진.

그냥 보여주기식으로 하는 거야. 창조주의 심판대에선, 누가 지옥에 갈지, 천국에 갈지, 어떻게 될지 아무도 알 수 없거든."

사가가 말했다.

"지옥에 떨어지다니.... 말을 참 살벌히 하시네요."

하나가 말했다.

"....그렇지. 난 진짜 악마니까?"

사가가 싱긋 웃으며 말했다.

"...그, 왜. 소설이나 드라마에서처럼... 악마인 척 하는 천사라던가...

그런 거 아니예요? 그런 거 였으면..."

"정말 좋겠지? 그런데 어쩌나. 난 아닌데. 적어도 사랑 없는 너한테는."

사가가 말했다.

".....그렇죠. 난 죽어서 천국 가긴 글른거네요...."

하나가 말했다.

"...그.. 그대신!! 내가 너 살아있을 때 진짜 진짜 잘해줄게!!"

사가가 말했다.

"...그게 왜 나한텐 고백으로 들릴까요?... 참 나도 미쳤나 보네요."

하나가 말했다.

"어. 너 미쳤어. 난 그냥 한 말이거든."

사가가 말했다.

"왜 그렇게 열심인 거예요? 지옥에 한 사람이라도 더 가면 뭐,

악마들한테 인센티브라도 있나?"

하나가 말했다.

"우린 악마야. 너희들은 모르겠지만, 지금도 창조주가 말 안듣는

천사들을 우리 지옥으로 보내고 있고, 또 인간들을 지옥으로

보내고 있어. 지옥으로 떨어진 우리 타락천사, 즉 악마들은 한 사람이라도

더 우리 편에 와서 그들이 고통받는 걸 보기를 좋아해. 사랑없는 우리

악마들에겐 그게 유일한 사랑이거든."

사가가 말했다.

"....오후의 티타임, 뭐 그런 건가요? 악마들에겐?"

하나가 말했다.

"...뭐.. 그런 거지?"

사가가 말했다.

2.

BGM:NCT WISH - WISH (Korean Ver.)

사가는 하나가 집에 가서 잠에 무사히 드는 걸 확인한 후에야 악마들이 모여있는 비밀장소로 갈 수가 있었다.

"무슨 일이냐? 사가. 오늘은 어찌 된 게 얼굴이 밝아보이는구나.

역시, 인간을 지옥으로 끌고 올 생각에 기쁜 게로구나?"

루시퍼가 사가에게 물었다.

그러자 사가가 얼굴을 확 찌푸렸다.

"...그렇죠. 전 겉모습만 이럴 뿐, 사실은 험악한 몰골을 한

하나의 '괴물'일 뿐인걸요."

사가가 말했다.

사가가 원래의 모습으로 돌아왔다.

마치 험악한 몬스터와 같이 생긴 사가의 모습에 루시퍼가

마음에 든다는 듯 호탕하게 웃어댔다.

"하하하!! 그렇지!! 넌 그저 험악한 몰골을 한 악마일

뿐이야!!

사가, 잊지 마라. 우리의 목표는 단 하나다. 단 한 사
람이라도 더

우리 지옥으로 끌고오는 것! 알겠느냐?"

루시퍼가 험악한 두 뿔을 달은 몬스터의 모습을 하고
있다가

말끔하고 잘생긴 모습으로 변신했다.

그러자 사가도 멋있고 잘생긴 모습으로 변신했다.

"..알겠습니다. 루시퍼님. 그렇게 하도록 하겠습니다."

사가가 말했다.

*

다음 날.

하나가 등교를 했다.

그런데...

하나의 뒤에서 엄청난 환호성 소리들이 튀어나왔다.

"어머, 쟤 누구니? 진짜 진짜 잘생겼다-!!"

"그러게, 그러게~!! 꺄악~! 연예인 같아~!"

여학생들의 엄청난 환호성 소리가 하나의 뒤에 들려왔
다.

덕분에 하나는 조용히 들어가자는 다짐을 속으로 하였
고,

더욱 더 빠른 걸음으로 걸어들어가기 시작했다.

텁-

누군가가 하나의 한 쪽 어깨에 손을 올렸다.

"꺄아악!!"

하나가 놀라서 그 자리에서 자빠졌다.

"뭘 그리 놀라? 나야. 사가."

사가가 교복을 입고선 말했다.

"...사... 사가? 여긴 어쩐 일로?....."

하나가 말했다.

주변에서 수근거리는 소리가 들렸다.

"...저.. 저한테 무슨 할 말 있으세요?"

하나가 수근거리는 소리들을 듣고선 쫄아서 말했다.

그러자 사가가 씨익 웃으며 말한다.

"너에게 할 말이란 아주 많지. 덩달아서, 볼 일도 아주 많고."

*

아무도 없는 체육관 창고 안.

"...아니, 어떻게 사람들의 눈에 갑자기 보이는 거예요?"

하나가 말했다.

"난 악마니까, 그런 일 쯤이야 쉽지. 그나저나, 나 명찰 만들건데.

성씨를 뭐라고 할까? 윤사가? 유사가?"

사가가 말했다.

"...마음대로 지으세요. 난 그 쪽이 윤사가든, 유사가든,
신경 안 써요."

하나가 말했다.

"..그럼 김사가라고 지어야겠다. 너랑 똑같은 김씨로."

사가가 말했다.

"..왜요? 악마랑 똑같은 성씨라니, 괜히 기분 나쁘네."

하나가 말했다.

"난 널 사랑하지 않으니까."

사가가 씨익 웃으며 말했다.

그러더니 사가가 [김사가]라고 적힌 명찰을 자신의 교
복에 달았다.

"우리 학교 교복 아주 구린데. 그 쪽이 입으니까 꼭 수
트처럼 멋있네요."

하나가 말했다.

"...거 봐. 또 나한테 반했지? 나 원래는 이런 모습 아
닌데 말야."

사가가 말했다.

"원래 모습이 어떤데요?"

하나가 말했다.

"너한텐 절대 안 보여줘. 너한테 보여줬다간, 날 사랑

하지 않을테니까.

덩달아서, 세상을 사랑하지 않을테니까."

사가가 말했다.

"...그 쪽은 날 사랑하지 않는다면서요. 내가 그 쪽 안 사랑하면,

그 쪽이 안 귀찮고 좋은 거 아니예요?"

하나가 말했다.

"전혀? 난 한 사람이라도 더 지옥으로 끌고 가야 할 임무가 있는 걸?"

사가가 말했다.

"....휴... 그래요. 내가 졌다, 졌어. 마음대로 하세요."

하나가 말했다.

콰앙-!

체육관 창고 문에 누군가가 피구공을 던져 맞추는 소리가 들렸다.

"......!! 이게 무슨 소리예요?"

하나가 말했다.

"...누가 공을 우리가 있는 문에 맞췄어.

...정확히는, 김하나, 널 노리고."

사가가 말했다.

"안에 쥐새끼가 들었나~?"

쾅-!!

여학생의 목소리가 들리더니, 또 한 번 피구공으로 하

나가 있는

체육관 창고 문을 맞췄다.

"나가자."

사가가 말했다.

"...예, 예??"

하나가 말했다.

사가가 하나의 손목을 잡아채더니, 창고 문을 열고 밖으로 나가

걸어갔다.

하나에게 피구공이 날아갔다.

사가가 급하게 하나에게 날아가던 피구공을 팔로 막았다.

"...내가 그렇게 좋으면, 내 팬클럽이나 가입하지?

유치하게 이딴 짓 하지 말고."

사가가 하나를 괴롭히려던 세 명의 여학생에게 말했다.

"...오빠, 김하나랑 사귀는 거 아니죠?? 그렇죠??"

여학생 중 하나가 말했다.

".....아니. 맞는데?"

사가가 말했다.

그러더니 하나의 손목을 잡고 체육관 밖으로 나갔다.

*

"아야, 아프잖아!"

학교 주차장 안.

아무도 없다.

"....넌 원래 이렇게 적이 많냐? 집에 가면 아버지 가정 폭력에,

학교에선 널 괴롭히는 학교 폭력 무리들까지.

도대체 어디까지 내가 널 케어해줘야 해?"

사가가 말했다.

"...그걸 나보고 어떻게 하라고요."

하나가 말했다.

"...세상만 좋아하지 말고!! 세상만 바라보지 말고!!

널 사랑하지 않는 세상 속 사람들 좋아하지 말고!!

이제는 날 바라보란 말이야!!"

사가가 말했다.

"........네?"

하나가 말했다.

"....내가 널 지옥으로 끌고가기 위해서 널 꼬시는 짓 하나

쯤이야 못할 것 같아? 지금부터 할거야, 널 꼬시는 짓."

사가가 말했다.

"...해볼테면 해보시던가요."

하나가 말했다.

".....사랑해."

사가가 말했다.

"거짓말이죠?"

하나가 말했다.

"응. 거짓말. 차마 거짓말이 아니라곤 말 못하겠다."

사가가 말했다.

"....그럴 줄 알았어. 사람 꼬시는 데엔 재능 없네요. 그 쪽이요."

하나가 말했다.

"...그래도, 불쌍한 너를 위해서, 아름다운 정원은 보여 줄 수 있는데."

사가가 말했다.

하나가 눈을 감았다 뜨니, 그 곳이 아름다운 정원으로 바뀌어져

있었다.

"우와.... 여긴 학교가 아니잖아?"

하나가 말했다.

"...여긴 정원이야. 널 닮은 꽃 한 송이 받아줄래?"

사가가 말하며 정원에서 붉은 장미 한 송이를 꺾어다 하나에게

내밀었다.

"....이것도 거짓이죠?"

하나가 말했다.

"거짓이지. 하지만, 거짓이 더 아름다운 법이거든. 마치 너처럼."

사가가 말했다.

사가가 내민 붉은 장미 꽃 한 송이를 하나가 받았다.

"...고마워요. 남자한테 붉은 장미 꽃 한 송이를 받은 건 처음이에요."

하나가 말했다.

"한 송이인게 마음에 안 들어? 백 송이 줄까?"

사가가 붉은 장미 백 송이 꽃다발을 하나에게 내밀었다.

"...이 모든 게 꿈이니까, 받을게요."

하나가 말하며 꽃다발을 받았다.

"...다행이네. 모든 게 거짓이고, 꿈이라는 걸 잘 깨닫고 있어서."

사가가 무미건조한 목소리로 말했다.

*

오후 6시.

교무실에 가서 악령술사로 취업한 사실을 알리고, 야간자율학습을

빼는 과정은 간단했고, 하나와 사가는 그 곳을 빠져나

왔다.

"...나... 일 하기 싫어요."

하나가 말했다.

"...하기 싫음 하지 말던가. 오늘은 쉬자."

사가가 말했다.

"...하지만..."

하나가 말했다.

"뭐 어때? 어차피 죽으면, 나와 함께 지옥에 갈텐데. 살아있는 동안 즐겨야지! 마음껏!"

사가가 말하며 싱긋 웃었다.

그러더니, 하나의 손을 잡고선 대학 거리로 갔다.

"여긴 대학생들만 오는 곳인데..."

하나가 말했다.

"....오락실이나 같이 갈래?"

사가가 말했다.

"아니, 가자."

사가가 말했다.

그러더니 사가가 하나의 손을 잡고 오락실까지 이끌고 갔다.

오락실 안에는 사람이 한적했다.

다 놀고 난 후.

*

밖이다.

어느 새 밤 9시 30분이 넘었다.

"도대체 나한테 왜 그렇게 헌신하는 거예요?"

하나가 말했다.

"네가 나한테 헌신하니까."

사가가 말했다.

"...도대체 나한테 왜 그렇게 사랑한다는 거짓말을 하는 거예요?"

하나가 말했다.

"...네가 나한테 사랑한다는 거짓말을 하니까."

사가가 말했다.

"내가 도대체 언제 그랬어요?"

하나가 말했다.

"넌 지은 창조주가 있어. 넌 창조주를 닮았어. 하지만 넌 창조주를

따르지 않고 나에게 헌신하고 날 사랑한다고 거짓말을 했지.

창조주를 따른다 하더라도 창조주의 말을 듣지 않는 너는 아웃이다."

사가가 말했다.

".....그건..."

하나가 말했다.

"...내가 설사 널 사랑한다 하더라도, 넌 몬스터의 모습을 한 나를

사랑하지 못할거야."

사가가 갑자기 알 수 없는 말을 했다.

"....사가? 방금 뭐라고 했어요?"

하나가 말했다.

"...아무 것도 아니야. 만약에, 라는 전제는 이루어지지 못하니까."

사가가 싱긋 웃으며 말했다.

3.

BGM:Red Velvet(레드벨벳) - Bulldozer

다음 날 아침.

학교.

"대박... 봤어? 김하나랑 김사가, 사귄대."

등굣길.

한 여학생이 다른 여학생에게 속삭이듯 말하나, 다 들린다.

김하나와 김사가가 등굣길에서 사라진 후에야 그들 중 하나의 여학생이 눈물을 흘린다.

"....두고 봐.... 김하나... 널 갈기갈기 찢어줄테니까."

눈물을 흘리며 말을 했다.

*

퍼억-!!

누군가가 날달걀을 김하나에게 던졌지만, 옆에 있던 김사가가 막아서 무사했다.

"...누구야?? 너냐??"

사가가 날달걀을 던진 여학생을 정확히 찝으며 말했다.

"...김사가!! 너!! 김하나랑 헤어져!!"

그 여학생이 씩씩 대며 말했다.

"싫은데?"

사가가 말했다.

"도대체 왜 그렇게 좋은 건데!! 아무 보잘것 없는 김하나가!!"

날달걀을 김하나한테 던진 여학생이 소리쳤다.

"...소중한 내 고객님이니까."

사가가 말했다.

"...고... 고객?"

그 여학생이 벙쪄서 물었다.

"응. 나와 함께 지옥 속으로 들어갈.... 소중한 내 고객."

사가가 씨익 웃으며 말했다.

그리고선 방금 했던 말들을 그 여학생과 듣고 있던 학생들의
기억 속에서 지워버렸다.

"가자. 김하나."
사가가 하나의 손목을 거칠게 잡아끌고선 반으로 가버렸다.

*

반은 온통 차가운 분위기였다.
"왔다."
한 남학생의 말과 함께 온 시선이 김하나와 사가에게로 쏠렸다.
그러자 사가가 고개를 절레절레 흔들며 말한다.
"...이거이거, 안 되겠는데."
그러더니, 요술을 부리듯 엄지와 세번째 손가락을 딱 부딪혀
소리를 낸다.
"뭐야, 김하나 왔어~?"
"하나야~!"
반 여학생들과 남학생들이 모두 하나를 반기며 하나에게로 모여들고,
하나는 순식간에 인기녀가 되어버렸다.

"....아하하..."

하나가 멋쩍게 웃었다.

*

"도대체 어떻게 한 거야?"

운동장 벤치.

하나가 사가에게 물었다.

"...난 악마니까, 인기 따위는 얼마든지 너에게 줄 수 있어."

사가가 말했다.

"....."

하나가 아무 말도 없이 땅만 바라보았다.

"..왜? 뭐 문제라도 있어?"

사가가 말했다.

"...아니.... 이렇게 한 순간에 학교 폭력이 해결이... 된 거나

다름 없으니까..."

하나가 말했다.

"해결이 된 거나 다름 없는게 아니라, 해결이 된 거지. 말은 똑바로 해."

사가가 말했다.

"....그게... 믿기지가.. 않아서."

하나가 말했다.

"하아....."

사가가 한숨을 내쉬었다.

"....."

"넌 너무 자존감이 낮아서 문제야. 너도 존중받을 수 있는
하나의 인간이라고. 물론, 죽으면 나와 함께 지옥으로
갈거지만. 그 동안만이라도 누릴 자유가 있다구. 알겠
어?"

사가가 말했다.

"고마워. 사가."

하나가 말했다.

".....나한테 고마워하지 마. 널 만든 사람은 내가 아니
니까."

사가가 매몰차게 고맙단 말을 거절했다.

"......"

"윽.... 제기랄, 또 날 부르고 있어."

사가가 말했다.

"누가?"

하나가 말했다.

"...사탄주의자들. 이 세상엔 세상의 모든 것을 가지길
바라는
사탄주의자들이 많아. 김하나, 넌 모르겠지만.

그런데, 그들이 날 부르고 있군. 흐흐흐... 어떤 영혼을 지옥으로

끌고 갈까?"

사가가 말했다.

점심 시간.

하나가 눈을 감았다 뜨자, 그 곳은 사탄주의자들의 장소로

바뀌어져있었다.

"태어나자마자 버려진 아기를 데려왔습니다. 악마님!

저희의 목소리를 들어주십시오!"

사탄주의자들의 리더가 태어나자마자 버려진 아기를

제단 위에 올려놓고..... 불로 태웠다.

믿기지 않는 풍경에 하나가 무서움에 떨었다.

".......내가 왔다."

검정색과 적색이 혼합된 수트를 입은 잘생긴 사가가

불에 타고 있는 부엉이 제단 위에 서서 말했다.

"악마님!! 저희의 소원을 제발 들어주십시오!!"

사탄주의자의 리더가 말했다.

"좋아. 들어주겠다. 대신, 너희의 영혼은 지옥으로 간다.

.......더불어, 너희들이 불태워 죽인 아기의 죗값도 치루게 된다."

사가가 말했다.

"상관 없습니다!!"

사탄주의자들의 리더가 말했다.

"....그렇다면, 이 자리에서 날 위해 죽어라!"

사가가 소리쳤다.

뒤에서 다 보고 있는 하나는 두려움에 뒷걸음질 쳤다.

"으아아악!!!"

사탄주의자들이 치솟는 불길 속으로 알아서 뛰어들어
가 불에 타

죽고 말았다.

불이 세상에서 제일 두렵고, 무서운 김하나는 두려움
에 질식되어

뒷걸음질 치다가 땅바닥에 주저앉고 말았다.

"....김하나."

사가가 농익고도 잘생긴 목소리로 하나에게 한 손을
내밀며 말했다.

".....꺄아악!!!"

하나가 두려움에 질식된 얼굴로 그 자리에서 뛰쳐나가
문을 열고

나가버렸다.

*

'무서워... 무섭다구!! 불이 무서워... 너무 너무 무섭다

고...!!!'

하나는 어릴 적부터 유난히 불을 무서워 했었다.

지옥이 불로 되어있다는 소리를 듣고 난 후부터는 지옥에는

절대 가지 않으리라, 다짐 했었다.

'이제 다 끝났어... 사가가 날 지옥으로 끌고 갈 거야...'

하나가 생각했다.

"잘 알고 있네?"

하나의 뒤에서 사가가 말했다.

"으악!!"

하나가 놀라서 그 자리에서 자빠졌다.

"뭘 그리 놀라? 너와 난 각별한 사이 아닌가?"

사가가 말했다.

"뭐가 각별하다는 거야!! 소원을 이루어달라는 사람들을

불태워 죽여놓고선!!"

하나가 말했다.

"그들은 나타나지도 않을 악마 때문에 버려진 아기를 불태워

죽였어!! 난 그에 갚아준 것 뿐이라고!!"

사가가 말했다.

".....난 왜 이제야 사가, 네가 두려워진걸까."

하나가 말했다.

"...뭐?"

사가가 말했다.

"...앞으로 나 쫓아다니지 마! 난 세상에서 네가 제일 무서우니까!"

하나가 말했다.

*

사가가 하나를 몰래 뒤쫓아 걸어갔다.

"......5미터 이상 떨어져."

하나가 말했다.

"...안 돼! 그러면 네가 너무 위험해진다고!"

사가가 말했다.

"나한테 제일 위험한 건 너야! 사가."

하나가 말했다.

그러자 사가가 5미터 이상 떨어져서 걸었다.

하나가 악령술사로 취업한 직장 안으로 들어갔다.

"안녕하세요."

하나가 인사했다.

"어머, 너구나~? 열일곱살짜리 천재 악령술사가 말이야!!"

여사장이 하나를 반겼다.

"....하하하.... 여, 여사장님이시군요..."

하나가 부담스러워하며 말했다.

"어머~ 어머~ 뭘 그리 부담스러워 하니~? 편하게 해~!
나이 차이는 30살 이상 차이나지만 말 놓아도 돼~!"

여사장이 말했다.

"나머지 악령술사들은요?"

하나가 말했다.

"다 일 나갔지~! 자! 오늘의 일이야!! 살인사건 장소에
자꾸 이상한 악령이 나타난다는 제보가 들어왔는데,
가서 그 악령을 제거하면 돼!"

여사장 김나연이 말했다.

*

'가까이에 사가라도 없으니까 무섭다...'

일 나가는 길.

하나가 생각했다.

그러자 사가가 그 생각을 기가막히게 읽고 바로 옆에
섰다.

"나라도 없으니까 무섭지?"

사가가 말했다.

"아니거든!"

하나가 말했다.

"그런데, 언제부턴가 나한테 말 놓는다?"

사가가 말했다.

"그, 그건..... 사가가 나와 같은 학생으로 변장을 하니까....."

하나가 말했다.

"피식. 뭐, 상관 없어. 어차피 넌 죽어서 내가 지옥으로

끌고갈거니까."

사가가 말했다.

"...죽어서 어떻게 될지는 창조주만 안다면서요."

하나가 말했다.

"하지만, 널 지옥 갈 때까지 꼬시는 짓은 얼마든지 가능하지."

사가가 말했다.

"도착했군. 하이? 악마."

사가가 말했다.

무서운 귀신의 모습을 한 악마였다.

"....으아악!!!"

하나가 두려움에 떨며 그 자리에서 주저앉았다.

"이제 1년 간 사라져주면 돼. 하나가 일을 해야 죽어서 지옥에 갈 확률이 높아지거든."

사가가 말했다.

그러자, 그 무서운 귀신의 모습을 한 악마가 고개를

끄덕이며

그 자리에서 사라졌다.

"뭐, 뭐야... 사라진거야?"

하나가 말했다.

"...응! 인간이 지옥간다고 하면 뭐든지 다 들어주는 게 악마걸랑!"

사가가 말했다.

"...악마들은 어쩜 다 하나같이... 휴... 말을 말자."

하나가 말했다.

"뭔데? 하고 싶은 말이?"

사가가 말했다.

"....그 쪽, 좋아하는 여자 악마라도 있는 거예요?"

하나가 말했다.

"거 봐. 나한테 또 반했지?"

사가가 씨익 웃으며 말했다.

"왜 나한테 잘해주는 거예요? 인간 제물까지 바친 사탄주의자들은

불태워 죽였으면서...."

하나가 말했다.

"그들은 너랑 달라! 넌 순수해서 괴롭혀주고 싶은 재미가 있지만,

그들은.... 악마 그 자체라고!"

사가가 말했다.

"...하지만, 사가도 악마잖아!"

하나가 말했다.

"...그딴 악독한 인간들은 살아있어봤자 우리 악마들이 손해야!

얼른 죽여야 지옥으로 보낼 수 있다고!"

사가가 말했다.

"....참... 무섭네요. 악마들의 지옥에 대한 집착이란."

하나가 말했다.

"당연하지? 악마들의 유일한 에피타이저란, 한 명의 인간이라도 더

지옥으로 떨어지는 거니까."

사가가 말했다.

4.

"심판하실겁니까? 창조주님."

창조주의 대천사가 창조주께 물었다.

"아직은 때가 아니다. 조금만 더 기다려보자꾸나."

창조주가 말했다.

*

아침이다.

서둘러 교복으로 갈아입은 하나가 부엌에 교복을
입고 서있는 사가를 발견한다.

"사가..? 거기서 뭐해?"

하나가 말했다.

"아니, 그냥. 지금쯤이면 네 아버지와 어머니는 행복하
게 사랑하는
사람들과 시간을 보내고 있을거라 생각하니 속이 뒤틀
려서."

사가가 말했다.

"....그건...."

하나가 말했다.

사가가 부엌에서 고개를 치우고선 하나를 보고 싱긋
웃었다.

"갈까?"

사가가 말했다.

*

처음 느껴보고, 누리는 인기는 하나에겐 과분한 거였
다.

[널 좋아해. 하나야.]

[나랑 사귀자. 김하나.]

덕분에 남학생들의 사랑 편지도 많이 오게 되었다.

"이게 뭐야!! 나랑 사귀는 거 뻔히 알면서 이딴 걸 보내?"

사가가 말했다.

"...모르고 보낸 거겠지."

하나가 말했다.

"....그건 그래. 다 내 요술 때문이니까... 용서해준다."

사가가 말했다.

"네가 용서하고 말고 할게 뭐 있어?"

하나가 말했다.

"뭘 그래? 그래도 난 네 남친인걸. 허울 뿐이라 해도 말야."

사가가 말했다.

*

"언제까지 그 애를 감싸고 돌거야? 사가. 너답지 않게."

악마 치키가 사가에게 말했다.

치키는 남성 악마다.

"누구? 김하나 말하는 건가?"

사가가 말했다.

"그래. 걔 말이야."

치키가 말했다.

"...김하나, 걔 말이야. 나한테 그저 에피타이저 같은 거야.

식사 전에, 나와도 상관 없고, 안 나와도 상관 없는. 그런 존재."

사가가 말했다.

"..그럼 그 말은, 투명 인간이나 다름 없다는 말?"

치키가 말했다.

치키는 검정색 수트를 입고 다니며, 적색 머리카락과 검은 눈동자를

가진 잘생긴 모습으로 변신하여 다니는 악마이다.

물론, 원래 모습은 사가처럼 몬스터의 모습이지만.

"잘 모르겠네. 하-. 인간이란, 언제쯤 인간이 좋아질런 지-."

사가가 말했다.

"...내가 보기엔, 이미 김하나를 사가 네가 좋아하는 것 같은데?"

치키가 말했다.

"내가 무슨 김하나를 좋아한다고 그래!! 말도 안 되는 소리를!!"

사가가 소리쳤다.

"....거 봐. 김하나 이름 석 글자에 또 격하게 반응하잖 아.

평소에 인간이라곤 관심도 없는 사가 네가 말이야."

치키가 말했다.

"...아, 아니라니깐!! 그딴 소리 할 거면 빨리 가!!"

사가가 얼굴을 찌푸리며 말했다.

"그러지 말고, 김하나랑 좀 멀어지면 어때? 어차피 계약만 하면
끝나는 관계 아니야?"

치키가 말했다.

"......안 돼. 걔는, 내가 없으면 안 돼. 너무 약한 존재라서."

사가가 말했다.

"...거 봐. 인간 걱정. 네가 무슨 인간 걱정을 한 적 있기나 했어?
인간이 한 명씩 지옥에 떨어질 때마다 박수치는 악마가 사가, 너잖아."

치키가 말했다.

"....그냥. 김하나, 걔는 이상하게 내가 정이 가. 이상하게.... 지켜주고 싶고..."

사가가 말했다.

"...휴.... 사가. 그런 감정을 인간들은 '사랑'이라고 불러."

치키가 말했다.

"...내가 김하나를 '사랑'한다고? 천하의 루시퍼님의 종인 나, 악마 사가가?"

사가가 말했다.

"....후... 나도 모르겠다. 믿고 싶지 않으면 믿지 마. 본인 감정을 아직은
잘 모르는 것 같으니."

치키가 말했다.

그리고선 치키가 사라졌다.

*

다음 날 학교 안.

사가가 꽁해져 있다.

"너 왜 그래? 사가."

반 안.

하나가 옆에 앉아 꽁해져 있는 사가에게 물었다.

"....아무 것도 아니야."

사가가 말했다.

"뭐가 아무 것도 아닌데?"

하나가 말했다.

"....넌 내가 없으면 안 돼!! 그건 너도 알지??
그리고 넌 내가 지옥으로 데려갈거고!!"

사가가 말했다.

"...그... 그렇지?"

하나가 말했다.

"그럼 됐어!! 아무 것도 신경 쓰지 말자고!!"
사가가 말했다.
사가가 하나의 손을 잡더니 운동장으로 나갔다.
그 모습을 폴라로이드 사진기로 찍는 여학생 하나.
"이런 고귀한 사진을 비싼 값에 판다면 난 부자가 될
수 있어."
그 이상한 여학생의 이름은 도정희였다.

*

"누군가가 우리를 자꾸 찍는 것 같아."
사가가 말했다.
".....그게 누군데?"
하나가 말했다.
"나무 뒤에 숨어있는 애."
사가가 말했다.
그러자 나무 뒤에 숨어있던 정희가 깜짝 놀라 뒷걸음
질 쳤다.
사가가 정희가 들고 있던 폴라로이드 사진기와 사가와
하나를 찍은
사진들을 불태워 버렸다.
"꺄악!"
정희가 놀라서 자빠졌다.

"......원하는 게 뭐야?"

사가가 정희에게 다가가 말했다.

"워, 워. 사가군. 나도 일 좀 하게 해달라구."

치키가 나타나 정희에게 손을 내밀며 말했다.

"네가 원하는 부자 사진가가 되게 해줄게. 그러니 나와 계약 해라!"

악마 치키가 씨익 웃으며 말했다.

한 눈에 봐도 잘생긴 치키가 웃으며 말하자 정희가 그 손을 잡고 일어났다.

"하, 하겠습니다!!"

정희가 말했다.

하나는 그 모습을 보고선 마음이 복잡해졌다.

*

"왜 갑자기 아까부터 말이 없어? 대답도 없구."

사가가 말했다.

하굣길.

같이 하교를 하는 사가와 하나가 대화를 하며 걸어가고 있다.

계속 하나가 말이 없자, 사가가 답답하단 듯 하나 앞을 막아섰다.

"......우리 계약할 때도, 그저 한 사람과 한 악마가 계

약한 거와 다름

없었겠지?"

하나가 말했다.

"그게 무슨 소리야?"

사가가 말했다.

"...그 생각을 하니까, 갑자기 사가 네가 다르게 보여

서.

넌 그저 악마구나. 내가 지옥으로 떨어지길 바라는. 그

리고 난 너로부터

도망치길 원하고 말이야."

하나가 말했다.

"...도망쳐도 소용 없어. 내가 지구 끝까지 쫓아갈거니

까."

사가가 말했다.

"...제발 그런..!!! 스윗한 멘트는, 네 여자친구한테 가서

나 해."

하나가 말했다.

그러고는 가버렸다.

그러나 사가는 하나를 막아섰다.

"내가 말했잖아. 네가 내 여자친구라고."

사가가 말했다.

"나 집에 가야하니까, 좀 비켜줄래?"

하나가 말했다.

"대체 뭐가 그리 불만인 건데...!!!"

"모두 다..!! 모두 다 불만이다, 됐어?!"

사가가 말하자, 하나가 소리쳤다.

".....나 오늘은 너네 집에 안 들어가. 너 혼자 잠에 들던 말던 맘대로 해."

사가가 화가 난 듯 말하더니 수트를 입은 모습으로 변신하고선 날아가버렸다.

"하아...."

하나가 두 손으로 얼굴을 짚고선 한숨을 내쉬었다.

*

하나가 난생 처음으로 잠에 드는 17세의 밤.

덜덜덜....

하나가 무서워서 덜덜 떨고 있다.

'나도 아직은 미성년자라구! 혼자 자는 건 무섭다구!'

하나가 속으로 생각했다.

"휴... 혈혈단신 천애고아란 건 무서운 거구나..."

하나가 혼잣말했다.

*

"어이, 친구. 오늘은 김하나 집에 안 들어가봐도 되겠어?

미성년자라고, 고아라고 무섭다며 덜덜덜 떨며 잠도 못자고 있던데."

치키가 말했다.

"몰라. 걔가 잠을 자던 말던. 알아서 자겠지."

사가가 말했다.

"...이제야 인간한테 관심 없는 사가로 돌아왔네."

치키가 말했다.

타로 카드 게임.

악마들이 하는 타로 카드 게임이란, [악마]라는 타로카드가 나올 때까지

계속 뽑고, 그 카드가 나오는 사람이 승리하는 게임이다.

처음 뽑자마자 [악마]라는 카드가 나온 사가가 웃었다.

"...아무래도 가봐야겠군."

사가가 말했다.

"....누구한테? 네 진짜 애인이라도 있는 거야?"

치키가 말했다.

"....어둠 속에 떨고 있을 나의 어린 양에게 가봐야겠단 뜻이야."

사가가 말했다.

*

"....부... 불을 하나 킬까?"

하나가 잠에 들지 못하고 있고, 핸드폰 손전등을 킨 뒤, 거실에서

제일 가까운 부엌으로 걸어가기 시작했다.

"....어딜 그리 바삐 가시나?"

하나의 뒤에서 농익고도 잘생긴 목소리가 들렸다.

그건 사가의 목소리였다.

"꺄아악!!!"

하나가 소리를 지르며 그 자리에서 엎어졌다.

"...엎어질 것도 많다, 나야. 사가."

사가가 말했다.

"여긴 왜 온거야? 안 온다면서!"

하나가 말했다.

"....네가 이렇게 무서워하고 있을거 같아서."

사가가 말했다.

"....저, 전등 하나 키면 하나도 안 무서워!! 봐!!"

하나가 말하며 전등을 키려고 했으나, 사가가 수면램프를 만들어내는 바람에,

무산되고 말았다.

"...좀 더 화려한게 필요한데."

사가가 말했다.

"...이... 이거 얼마 짜리야? 엄청 비싸보이는데..."

하나가 말했다.

"이거? 하나에 100억인데?"

사가가 말했다.

"그렇게 비싼 거 우리 집에 못 들여!!"

하나가 말했다.

"아, 그러고 보니 집을 비싸게 바꾸는 걸 깜박 잊고 있었군."

사가가 말했다.

그러더니, 집을 부유한 집으로 바꾸었다.

"넌 이제부터 부자다. 넌 확실하게 지옥으로 들어가게 된다.

즉, 내게 족쇄로 묶였다, 이 소리지."

사가가 웃으며 말했다.

그 모습도 어찌나 섹시한지, 여자들이 반할 만 했다.

"하, 하지만!! 죽어서 어떻게 될 지는 신만이 안다면서!!"

하나가 말했다.

"...그건 그렇지. 하지만 내가 본 많은 인간들 중에 부자들은 100% 지옥으로

가던걸?"

사가가 웃으며 말했다.

"....말도 안 돼. 이건 사기야."

하나가 말했다.

"확실하게 내 것이 된 기념으로, 키스나 할까?"

사가가 말했다.

"....뭐? 그게 무슨...."

하나가 말했다.

사가가 하나에게 성큼성큼 다가가 하나의 뒷통수를 손으로 붙잡고

키스를 농익고도 진하게 했다.

그러나 그 키스는 5초를 넘기지 못했다.

"....퉤. 역시 애정없는 키스는, 맛대가리도 하나도 없군."

사가가 말했다.

"쓰레기 자식-."

하나가 울음을 터뜨리며 사가의 뺨을 후려치려고 했으나, 사가가

하나의 손목을 잡는 바람에 그렇게 되지 못했다.

"잠이나 자. 이런 밤에 잠 안자면, 청소년에게 안 좋아."

사가가 말했다.

하나는 결국 눈물을 흘리며 고급 침대에 누워 잠을 잤다.

사가는 그런 하나가 잠에 들 때까지 하나를 쳐다보다가 하나가 잠에

든 것을 다 확인한 후에야 그 곳에서 떠났다.

*

악마들의 비밀 장소.

"아주 잘했다! 사가. 앞으로도 계속 김하나의 환심을 사거라!

연애감정이면 그걸 주고, 많은 돈을 원하면 그걸 주고, 모든 것을 다 줘서라도

죽어서 우리 지옥으로 떨어지게끔 만들거라! 그것이 너의 임무이니! 하하하!"

지옥의 왕 루시퍼가 사가에게 말했다.

"저의 인간 모습은.... 다 거짓입니까?"

사가가 물었다.

"갑자기 그건 왜 묻는 것이냐? 설마.... 하찮은 인간 따위가 좋아진 건 아니겠지?"

루시퍼가 말했다.

"....그렇습니다. 저는 김하나가 좋아졌습니-......."

쾅-!!

그러자 루시퍼가 괴물의 모습으로 잘생긴 인간의 모습을 한 사가의 옆에

주먹을 날려 벽을 부숴버렸다.

".....사가. 잊지 마라. 너는 흉측한 모습을 한 괴물이다!! 그런 너의 모습을 좋아해줄

인간 여자는 아무도 없어!! 우린 사랑받기 위해 태어난 존재가 아니다!!

우린 창조주께 쫓겨난 존재이다!! 넌 그저 너의 감정을 없애고, 너의 본분을 다 하면

되는 것이다!! 알겠느냐!!"

루시퍼가 말했다.

그러자 사가가 고개를 떨궜다.

".....알겠습니다."

사가가 말했다.

5.

BGM:백현&도영-인형

다음 날.

아침에도, 낮에도, 저녁에도, 사가는 하나의 앞에 나타나지 않았다.

그리고 해가 다 저문 밤에야 나타났다.

"사가! 어딜 갔다 온 거야?"

하나가 물었다.

그러나 사가의 인간 모습은 마치 슬픔에 젖은 언제 죽을지 모르는

그런 수심에 젖은 사람 같았다.

".....아무 것도 아니야."

사가가 말했다.

"....아무 것도 아니긴, 뭐가 아니야. 오늘 하루 종일
너 못 봤어."

하나가 말했다.

"제발 내 걱정!!.... 하지 말고, 너나 잘해."

사가가 말했다.

"....사가...."

하나가 말했다.

하나의 얼굴을 보자, 사가의 기분이 몽롱해졌다.

사가가 기분을 다 잡았다.

"....미안해. 너랑 너무 가까이 하지 않는 게 좋을 것
같아서 그랬어."

사가가 말했다.

"왜 나랑 너무 가까이 하면 안 되는데?"

하나가 말했다.

"너랑 너무 가까이 하면.... 내 마음이 약해지는 것 같
거든."

사가가 말했다.

"....그래."

하나가 말했다.

"집은 좋아?"

사가가 물었다.

"아주 좋지. 전보다 훨~씬 좋은 걸!!"

하나가 말했다.

그러자 사가가 옅게 웃었다.

"그래. 다행이다. 난 이만 가볼게."

사가가 말했다.

"벌써 가?"

하나가 말했다.

"응."

'여기에 더 이상 있다간... 김하나 너를 안아버릴 것 같거든.'

사가가 하지 못한 말을 속으로 삼켰다.

"혼자 있는 집에서 혼자 자기 무서운데...."

하나가 말했다.

"....17살에 자취하는 사람들도 많아. 걱정 하지 마."

사가가 말했다.

"그럼 난 간다."

사가가 말했다.

그리고는 그 곳에서 사라져버렸다.

수심에 젖은 사가의 인간 모습이 자꾸만 떠올라 하나는 잠을

설치기 일쑤였다.

'사가는 왜 그렇게 슬픈 표정을 하고 있었을까?'

하나가 생각하며 홀로 잠에 들었다.

*

"이제는 김하나에 대한 마음을 아예 접은 거야?"

치키가 사가에게 물었다.

"....눈에서 멀어지면 마음도 멀어진다잖아. 이제 서서히 멀어지려구."

사가가 말했다.

"...참... 사가 너다운 발언이다."

치키가 말했다.

둘은 타로 카드 게임 중이다.

[악마]카드는 더럽게도 안 나오는 중이다.

"....그래도, 보고 싶지 않아? 김하나 말이야."

치키가 말했다.

"...걔랑 난 그냥 계약자일 뿐이야."

사가가 말했다.

"....그래도.... 넌 누구보다 걔를 걱정 하잖아."

치키가 말했다.

"그게 잘못된거지! 어떤 악마가 인간을 걱정하냐? 내가 너무 경솔했어.

앞으론 그러지 말아야지. 그리고.... 걔가 나한테 꼬리친거야!

내가 걔한테 꼬리친게 아니라!"

사가가 말했다.

"....누가 뭐래? 그냥 그렇단 거지."

치키가 말했다.

[악마]카드는 치키에게로 돌아갔다.

"아싸! 내가 뽑았다!"

치키가 말했다.

"기분이 아주 더러워. 처음엔 김하나가 나를 짝사랑했는데, 이제는

내가 김하나를 짝사랑하게 됐잖아. 전세가 역전됐어. 그래서 너무 슬프다고.

....말이 안 되기 때문이야. 도대체 어떻게 꼬셨지? 인간 모습일 때는 이렇게

완벽한 나, 사가님을?"

사가가 말했다.

"....처음부터 김하나에게 호감이 있었던 거 아니야?"

치키가 말했다.

"....몰라. 모르겠어. 그냥 걔만 보면 오묘한 기분이 들고.... 아, 씨 몰라~!!

사랑인지 뭔지, 그딴 거 안 믿어!! 악마가 그런 거 믿어서 뭐하냐??"

사가가 말했다.

"하긴, 그건 그렇지? 사가. 너도 이젠 578살이잖아. 철 좀 들어라."

치키가 말했다.

"...그딴 말 너한테 듣고 싶지 않거든??"

사가가 말했다.

"...뭐, 하긴 나도 너랑 같은 578살이니까.... 그것도 그렇긴 하네."

치키가 말했다.

*

다음 날.

둘은 따로 따로 등교를 했다.

하나가 몇 번이나 사가에게 말을 걸려고 시도를 했으나, 그럴 때마다 사가는

기가 막히게 하나의 생각을 읽고 그 시도를 피했다.

"이상해. 사가가 달라졌어."

하나가 말했다.

"뭐가?"

어느 새 친구가 된 하나와 정희.

정희가 말했다.

"사가가.... 날 피하는 것 같아."

하나가 말했다.

"에이, 설마~"

정희가 말했다.

*

하굣길.

하굣길에도 사가와 하나는 따로 따로 하교했다.

하나가 점만 보이도록 뒤쫓아 따라가던 사가가 하나가 걸음을

멈추자 두려움에 경계했다.

"....계속 이렇게 날 피하겠다 이거지?"

하나가 혼잣말했다.

그리고는 뛰어가기 시작했다.

그러자 사가도 뛰기 시작했다.

한참을 뛰던 하나가 걸음을 멈추자 사가가 하나와 가까워졌다.

"으악!!!"

사가가 비명을 질렀다.

"왜 갑자기 날 피해? 사가. 말 좀 해 봐."

하나가 말했다.

"...그... 그게...."

사가가 말했다.

"내가 모르는 숨겨진 거라도 있어?"

하나가 말했다.

".....그... 그딴 거 없거든!!!"

사가가 말했다.

"...어제는 학교도 안 나오더니, 오늘은 또 나온 이유가
뭔데?"

하나가 말했다.

"너 잘 지내나 감시하러 왔다!!"

사가가 말했다.

".....그래. 사가 네 덕분에 잘 지냈다. 됐냐?"

하나가 말하더니 뒤돌아서 먼저 가버렸다.

"...삐.. 삐진 거야?! 뭐 그런 거 가지고 삐져!!"

사가가 말했다.

"...안 삐졌어! 네가 그냥 한심해서 그런다. 왜?"

하나가 말했다.

".....설마... 쟤는...."

사가가 얼굴이 파래져서는 하나의 뒤에 숨어서 전방
2m 거리 이내에

있는 아름다운 여자와 키작고 못생긴 남자를 바라보았
다.

"....누구 말하는 거야? 사가. 왜 그래?"

하나가 말했다.

파란 교복을 쭈글쭈글 해질 때까지 꽉 쥐어서 무서움
에 떨고 있는

사가 덕분에 안 그래도 파란 교복 더 이상해졌다.

사가의 하늘색 와이셔츠가 땀에 젖기 시작했다.

"...나 좀 숨겨줘. 나 저 여자한테 내 정체 들키기가 싫어서 그래.."

사가가 말했다.

"저 여자? 예쁘기만 한데. 왜?"

"아냐... 미친 여자야..."

사가가 두려움에 떨며 말했다.

아름다운 여자가 키작고 못생긴 남자와 이야기를 다 끝내자,

하나를 보고선 씨익 웃더니 걸어오기 시작했다.

"...히익!! 왜 이 쪽으로 와??"

하나가 말했다.

"...야!! 날 최대한 숨겨!! 숨기라고!!"

사가가 말했다.

"....그런다고 네 몸뚱아리가 작은 여학생한테 숨겨지니?"

아름다운 여자가 말했다.

"흐아아아악!!!!!"

그러자 사가가 겁에 질려서는 그 자리에서 소리를 질렀다.

".....너 왜 그래? 사가.

...안녕하세요?"

하나가 아름다운 여자에게 인사를 했다.

그러자 아름다운 여자가 씨익 웃으며 고개를 숙이며

인사했다.

"...아름다운 꼬마 아가씨네. 반가워요. 내 이름은 비카예요."

비카가 말했다.

"사가. 날 그만 좀 무서워 해줄래? 지금 내 모습은 아름다운 인간 여자의

모습이라구. 네가 그렇게 무서워하면, 내 이미지가 망가지잖아?"

비카가 말했다.

"....하지만 네 원래 모습은 메두사잖아!!"

사가가 말했다.

"...그래. 메두사지. 하지만 네 원래 모습은 못생기고 키작은 몬스터잖아?

서로 비등비등하다고 생각 되는데?"

비카가 말했다.

"하하하.... 이... 이게 다 무슨 소리래......"

하나가 말했다.

"....넌 알 거 없어!!"

사가가 소리쳤다.

"귀여운 꼬마 아가씨는 알 필요 없답니다!!"

비카가 소리쳤다.

그리고선 사가와 비카는 서로 다른 쪽으로 걸어갔다.

".....가, 같이 가!! 사가!!"

하나가 먼저 간 사가를 뒤쫓아 따라갔다.

*

악령술사 사무소 안.

"오늘은 뭐 딱히 일이 없네요. 꼬마 아가씨."

나연이 웃으며 말했다.

"...그럼.... 전...."

하나가 말했다.

"오늘 그냥 퇴근하시면 된답니다!!"

나연이 말했다.

*

"악령술사 일이란 거... 진짜 힘든 거구나..."

하나가 한숨을 내쉬며 하얀색 백팩 가방을 매고 집으로 가기 시작했다.

그런데, 그 때.

불량배들이 하나에게 몰려들기 시작했다.

"어리고 예쁜 고딩이네? 흐흐..."

남자 불량배1이 껄렁대며 하나에게 말하며 다가갔다.

"....야, 이 년 빨리 납치하자."

남자 불량배 2가 말했다.

그러자 남자 불량배 6명이 고개를 끄덕이더니, 하나를
납치하기 시작했다.

"....안 되는데? 그 여잔 내 건데."

사가가 말했다.

"뭐야? 네 놈은."

남자 불량배1이 말하며 인상을 찌푸렸다.

"....말했잖아. 그. 여.자. 내. 거.라고. 강조해서 스타카
토로 말해주는데도 못 알아

듣네? 이래서.... 인간들이란....."

사가가 말했다.

"야, 이 새끼 때려."

남자 불량배2가 말했다.

그러자 남자 불량배 6명이 사가에게 몰려들었다.

그 틈을 타 하나가 도망쳤다.

사가가 악마의 요술로 남자 불량배 6명을 꽁꽁 묶어버
리고 하나를 뒤쫓아 따라갔다.

*

하나의 집.

"괜찮아?? 다친 데는 없고??"

사가가 말했다.

사가는 하늘색 와이셔츠에 파란색 마이, 파란색 교복

바지에 파란색에 흰색 체크무늬 넥타이를 한 촌스러운 교복 차림이었는데도 불구하고 끝내주게 잘생긴 모습이었다.

목소리는 어찌나 농익고도 잘생겼는지, 섹시함 그 자체였다.

"....괜찮아. 너무 무섭긴 했는데....."

하나가 말했다.

"....후.... 미안하다. 다 내 잘못이야. 너랑 떨어져 있으면 안 됐는데...."

사가가 말했다.

"....아니야. 너도 네 인생 살아야지. 언제까지 나랑 붙어 살 순 없잖아.

게다가, 사가 네 원래 모습, 흉측하다며. 나도 뭐.... 아름다운 모습이라고 할 순 없지만...

....인간이 아닌 너랑 난, 이어질 수 없는 거니까."

하나가 말했다.

하나의 말이 다 맞는 말이었다.

".....네가 죽어서 지옥에 정말로 가기 싫다고 하면, 내가 창조주께 기도는 해볼게.

....난 이미 내쫓긴 존재라, 기도 밖에는 할 수 있는게 없으니까."

사가가 말했다.

그러자 하나가 옅게 웃었다.

"......됐어. 나같은게 죽어서 어떻게 천국을 가. 지옥에
가겠지."

하나가 말했다.

"....하지만........

........넌 날 사랑하지?"

사가가 말했다.

"....그건 갑자기 왜 물어 봐?"

하나가 말했다.

".....그냥. 궁금해 하는 것도 안 돼?"

사가가 말했다.

".....사랑하지. 네가 그랬었잖아. 세상과, 세상 속에 있
는 것은 사랑하면 안 된다고.

그 세상을 사랑하면, 그 속에는 사랑이 없다면서. 하지
만 난 아직은......

세상 속에 있는 사가 너를 사랑하는 걸 멈추지 못하겠
어."

하나가 말했다.

그러자 사가가 옅게 웃었다.

"립 서비스 하나 해줄까?

...나도 세상 속에 있는 김하나 너를 사랑해."

사가가 말했다.

6.

BGM:NewJeans-Hype Boy(250 Remix)

토요일이다.

오랜만에 푹 쉴 수 있다는 생각에 하나가 기뻐하며 침대에 누웠는데,

악마 사가가 나타난다.

"으아악!! 또 왜 나타난 거야?!"

하나가 놀라며 말했다.

"...나 지금 완벽한 인간 모습인데 왜 놀라?

오늘 토요일이니까, 나랑 놀러가자구."

사가가 말했다.

"싫어! 나 피곤해! 평일동안 학교가고, 일하느라 힘들었단 말야!!"

하나가 말했다.

"...후... 이런, 이런... 이래서 인간들이란... 나도 하나의 신이나 다름없는

존재라구. 그런데 그런 나한테 이래도 되는 거야?"

사가가 말했다.

"...어쨌든, 오늘은 안 돼! 나 피곤해!"

하나가 말하며 침대 이불을 덮었다.

"...그렇다면, 어쩔 수 없지. 오늘은 쉬도록 해."

사가가 말했다.

"오늘은... 이라고? 내일도 날 부려먹을 생각이야?"

하나가 말했다.

"...그럼, 당연하지. 내일은 일요일. 사탄교 회원들이 모이는 날이라구."

사가가 말했다.

"...그건 또 뭐래니?"

하나가 말했다.

".....모르면 말고. 어쨌든 난 간다!"

사가가 순식간에 그 자리에서 사라졌다.

그러자, 하나는 잠에 푹 들었다.

*

비카와 치키, 사가가 모여서 타로 카드 게임을 하고 있다.

[악마]카드가 나올 때까지 더럽게도 계속 뽑는 그 미친 게임을.

".....여기에 메두사는 왜 낀거야?"

사가가 말했다.

"...그러는, 여기에 땅딸보 몬스터는 왜 낀거니?"

비카가 말했다.

"....오늘은 다들 할 일이 없어서 모인 거니까, 즐겁게 게임이나 하자구.

응?"

치키가 말했다.

셋은 말 그대로 말없이 타로 카드 게임을 하기 시작했다.

어찌나 재미없던지, 한 지 1분 만에 비카가 [악마]카드를 뽑자마자

판을 뒤집어버렸다.

"됐다. 그만 하자."

사가가 말했다.

"그건 나도 하고 싶은 말이야."

치키가 말했다.

"어쩜, 우리가 모이니 왜 이리 재미가 없니? 역시 악마는 말이야, 인간이

있어야 돼! 인간 괴롭히는 재미로 사는 게 악마 아니겠니?"

비카가 말했다.

"그래서, 누굴 괴롭히러 갈건데."

치키가 말했다.

"...내 새로운 계약자야. 소개할게. 이름은 길봉구.

.......이름은 좀 촌스럽지만, 위대한 역술가를 꿈꾸는 아주 자랑스러운 인재라구."

비카가 서류 한 장을 들고선 말했다.

그 서류 속에는 잘생긴 인간 남성 하나가 있었다.

"...이리 잘생겼는데 이름이 봉구라고?"

사가가 믿기지 않는다는 표정으로 말했다.

"...이름은 이래도, 아주 잘생겼어! 키도 182cm나 된다구! 그런데 내가 꼬리치니

바로 넘어오더라구. 아주 잘됐지."

비카가 말했다.

"그래서. 걔를 유명한 역술가로 만들거야?"

치키가 말했다.

"..당연하지! 한 명이라도 더 인간을 지옥으로 끌고가는 게 우리 악마들의

목표 아니겠어?"

비카가 웃으며 말했다.

"....역시 비카다운 말이다."

사가가 말했다.

"....그나저나, 사가. 넌 보니까, 김하나라는 계약자와 너무 붙어다니는 것 같더라?

혹시 걔 좋아해?"

비카가 말했다.

".....아... 아니거든!!"

그러자 사가가 얼굴이 빨개져서는 극구 부인했다.

"..아니면 아닌 거지, 뭘 그리 극구 부인을 해? 수상하다? 사가."

비카가 사가를 째려보며 말했다.

"우리, 이쯤하고 헤어지자. 재미없어서 못 견디겠다."

치키가 말했다.

그러자 다들 고개를 끄덕이고선 그 자리에서 흩어졌
다.

*

"나 왔어."

치키가 말했다.

치키가 등장한 곳은 김하나의 하나 뿐인 친구, 도정희
의 방 안.

"오셨어요."

정희가 그 말 한마디 띡하고 컴퓨터로 사진 편집을 하
고 있다.

"오늘도 사진 편집 하는 구나."

치키가 말했다.

"그럼요. 돈 잘버는 사진사가 되기 위해 악마랑 계약까
지 했잖아요.

저 말이예요."

정희가 말했다.

"...넌 죽어서 지옥에 가는 게 안 두려워?"

치키가 말했다.

"...어차피 지옥 갈 거, 살면서 누리다가 가도 좋겠다,
하는 생각?"

정희가 말했다.

"....그렇구나. 그래도 말이야. 이건 네가 알았으면 해. 창조주는 널

몹시 아낀다는 거. 인간들 말로는 '사랑'이라고도 하지."

치키가 말했다.

"...난 그딴 거 몰라요. 사랑같은 거, 버린지 오래니까."

정희가 말했다.

성공을 위해서 사랑을 버린 열일곱 살짜리 도정희가 왠지 안쓰럽게만

느껴졌다.

"...넌 성공이 뭐라고 생각하니? 많은 돈? 명예? 연애?"

치키가 말했다.

"....살아남는 것. 저는 이 악독한 세상에서 살아남는 게 성공이라고 생각해요."

정희가 말했다.

정희의 말은 틀린 게 없어서, 치키가 할 말이 사라져 버렸다.

"....네 말이 맞아. 성공이란 건, 살아남는 거야. 그런데 넌 그보다 더 많은 걸

원하고 있잖아. 그런다고 네가 행복해질 수 있을까?"

치키가 말했다.

"...행복해질 순 없어도, 살아남을 순 있겠죠."

"......주변의 모든 사람들이 다 죽고, 너 혼자만 살아남는다고 해도?

그래도 네가 성공했다고 할 수 있어?"

치키가 말했다.

"....그건 아니겠죠."

정희가 말했다.

"...성공이란 건, 원하는 걸 쟁취하는 게 아니라, 실패를 발판 삼아 본인이

이루어 나가는 거야. 그로써 행복을 맛보는 것. 그걸 성공이라고 해."

치키가 말했다.

".....너무 어려운 소리만 하시네요. 악마 치키님은요."

정희가 표정 없는 말투로 대답했다.

"....성공이라..... 인간들에겐 너무나도 달콤한 유혹인 것 같아. 그치?"

치키가 말했다.

그것도 싱긋 웃는 얼굴로.

*

다음 날 아침.

하나가 눈을 떠보니 주변에 아무도 없다.

"......뭐야.... 혈혈단신 천애고아란 게 이렇게 슬픈 거였나....."

하나가 혼잣말했다.

"뭐가 그리 슬픈데?"

사가가 말하며 나타났다.

"....사가. 무슨 일이예요?"

하나가 말했다.

"무슨 일이긴, 무슨 일이야! 오늘 나랑 놀러가야지!"

사가가 말했다.

띠링-

문자다.

[급한 일이 생겼습니다. 당장 사무실로 튀어오세요. - 김나연사장]

"...급한 일이래. 나 가봐야 해."

하나가 말했다.

"네가 무슨 성인이야? 급한 일, 안 급한 일 따지게?"

사가가 말했다.

"....그래도..."

하나가 말했다.

"좋아, 가자. 까짓 것, 오늘도 내가 한 번 더 양보해주지 뭐."

사가가 말했다.

*

악령술사 사무실 안.

"....악령에 빙의 된 소녀가 나타났어요. 이름은 제밀린인데, 미국인이예요.

단란했던 가정이 순식간에 무너졌어요. 그런데, 아무도 이 일을 맡으려

하지 않아요. 왜냐하면, 이 소녀의 상태가 너무도 심각해서...."

나연이 하나에게 말했다.

"...미국이라면... 먼 곳까지 가야하잖아요?"

하나가 말했다.

"....학교에는 제가 말해놓을게요. 저도 이번 일에는 자신이 없어서

미안하지만 하나양에게 맡기려고 합니다."

나연이 말했다.

뒤에선 사가가 뾰루퉁한 표정으로 하나를 바라보고 있다.

"....좋아요. 해볼게요."

하나가 말했다.

*

미국행 비행기 안.

사가가 은근슬쩍 하나의 손을 잡는다.

"...뭐야? 손은 왜 잡아요?"

하나가 말하며 손을 스리슬쩍 뺀다.

"....쩝... 그냥 잡는 것도 안 되나."

사가가 말했다.

"이번 일은 위험하니까, 사가가 꼭 있어야 해요. 도망 가면 안 돼요.

알겠어요? 사람들의 눈에도 인간 모습으로 보여야 되구요."

하나가 말했다.

"아, 걱정 하지 마~ 나 천하의 사가야~"

사가가 말했다.

*

벌써부터 두렵다.

악령에 빙의 된 소녀 안에는 악마가 무려 4천 마리나 있었다.

".......김하나의 이름으로 명한다!! 악마는 당장 그 소녀의 안에서 나와라!!"

하나가 말하자, 악마들이 일제히 다 제밀린에게서 나와 하나에게 무릎 꿇는다.

"....지옥에서 뵙겠습니다!! 김하나양!!"

...이라고 비꼬는 악마도 있었다.

결국 퇴마는 끝났고, 악마의 괴롭힘도 더 이상 없었다.

제밀린은 멀쩡해졌고, 포상금도 두둑히 받게 되었다.

*

한국행 비행기 안.

"...나 말이야... 왠지 퇴마사가 된 것 같아..."

하나가 말했다.

"....그래서 싫어?"

사가가 말했다.

"...아니.... 그런 건 아닌데.... 무서운 일들만 있으니
까.... 왠지 시원섭섭하고

그러네...."

하나가 말했다.

"......그렇게 느낄 필요 없어. 넌 잘해내고 있는 거야.
누군가에겐 필요한 일이니까."

사가가 말했다.

*

다음 날 점심 시간.

사가가 인간 모습으로 변신해 남학생들과 함께 축구를
하고 있다.

그 모습도 어찌나 멋진지, 여학생들이 다들 합심하여
응원할 정도이다.

"....사가 쟤도 악마지? 어쩜 악마들은 하나같이 다....
읍!!!"

정희가 말을 하자, 옆에 있던 하나가 정희의 입을 막
았다.

"...악마라니!! 누가 듣겠다, 얘..."

하나가 말했다.

"....우리 주변엔 아무도 없어, 하나야."

정희가 말했다.

정말이었다.

"...휴... 지금은 없네. 어쨌든 그 소리 학교 안에선 함
부로 하지 마.

악마라는 정체가 들키면 곤란해지니까."

하나가 말했다.

"......알았어. 입 딱 붙이고 있을게!!"

정희가 말했다.

"...피식. 그럴 필요는 없고."

하나가 말했다.

*

역술 공부를 하고 있는 한 대학생의 방 안으로 비카가
들어온다.

이름은 길봉구.

"...우리 봉구, 공부 잘 하네~?"

비카가 앉아서 공부를 하는 봉구의 어깨에 손을 올리
며 말했다.

"....사주 공부예요. 뭐가 그리 대단하다고...."

봉구가 말했다.

"....그런 소리는 공부벌레들이 많이 하는 소리인데~?
사주 공부도 말이야,

알아두면 인생에 참 많은 도움이 된다, 이거야~"

비카가 말했다.

"....그 쪽은.... 타락천사... 아니... 악마니까, 남자친구
없겠죠?"

봉구가 말했다.

"...응? 그건 왜?"

비카가 말했다.

"....혹시 없으면, 내가 그 남자친구 될 수 있나 싶어서
요."

봉구가 말했다.

그러자 비카가 씨익 웃었다.

"마음은 고마운데, 봉구야. 내 원래 모습은 끔찍한 메

두사야. 머리카락이

뱀들로 가득한. 그걸 네가 견딜 수 있을거라 생각해?"

비카가 말했다.

"....그렇다고 해서 내가 그 쪽에 대한 마음 접은 건 아

니예요.

나도 상대가 싫다하면 나도 싫으니까요. 싫단 말은 하

지 말아줘요."

봉구가 말했다.

"...네가 싫단 건 아니야. 싫은 건 아닌데....... 나에 비

하면 넌, 너무 어려.

너무 어리고.... 내 끔찍한 모습을 보면 네가 무서워할

게 눈에 선해서 그래."

비카가 말했다.

"....그래도 난 상관 없어요! 난 남자니까!"

봉구가 말했다.

"....고맙다. 그 마음만은."

비카가 씨익 웃으며 말하더니 그 자리에서 사라졌다.

*

-공지 [작가의 말]

제가 내일 학점은행제 기말고사를 보면 학업이 끝날

지도 모릅니다...

학업과 소설쓰기를 병행하던거라 학업이 끝나면 소설 쓰기를 안 할지도 모르겠네요...

그건 그 때 가봐야 알겠지만...

조회수가 제가 봐서 느는 건지 독자님들이 봐서 느는 건지 늘고 있어요!

그런데 조회수가 제가 봐서 느는 것 같기도 해서 독자님들이 있는 지가 의문이네요:;

원래 이 소설은 테일즈런너라는 PC게임에서 스크린샷 만화로 만들까 하는...

생각으로 소재를 잡게 되어 쓰게 되었는데 네이버 웹소설은 조회수가 작가가 읽어도 느는 건지 잘 모르겠네요.

벌써 6화에다 용량이 62KB가 되었네요!!

공무원 시험은 때려칠까 생각 중입니다...

도저히 100분에 100문제 풀고 마킹하는 게 어려울 것 같아요...

주저리주저리 공지에다 뭘 자꾸 써대는 건지 저도 잘 모르겠네요:;

어쨌든 공지랄 건 없고요.

그냥 쓰는 겁니다. 수다같은 거예요:; 수다:;

나 혼자 수다 떨고 앉아있네요:; 참;;;;

되도록이면.... 별점이나 댓글은 안 주시는 게 좋습니다....

그런 거 싫어해요..... 평가 받는 거....:;

기회가 되면 다음에 뵙겠습니다.

안녕히 계세요.

작가 여회현 드림.

7.

그날 밤.

악마 사가가 이상함을 감지했다.

'창조주가 진노하고 있어.'

사가가 생각했다.

*

"이제는 때가 된 것 같습니다. 창조주님."

창조주의 보좌 천사가 말했다.

"....저들에게 검객을 보내어 저들을 섬멸하라."

창조주가 그의 천사에게 말했다.

*

사사삭-

검객들이 검을 들고선 창조주님이 보기에 안좋은 사람들을 모두

다 섬멸해나가고 있었다.

*

"김하나. 일어나. 잘 때가 아니야."

사가가 하나에게 말했다.

"...왜? 무슨 일인데?"

하나가 졸린 듯한 얼굴로 일어나 말했다.

".....창조주가 우리를 쫓고 있어. 너를 죽일 셈이야."

사가가 말했다.

"......뭐라고?"

하나가 말했다.

그리고는 눈물을 뚝뚝 흘리기 시작했다.

"....울지 마. 넌 내가 목숨을 바쳐서라도 지켜줄테니까."

사가가 말했다.

사가가 인간 모습에서 처음으로 검은 날개를 펼쳤다.

"....타락 천사?"

하나가 말했다.

"....그렇게 부르고 싶으면 불러도 돼. 그건 네 마음이

니까.

이리 오렴, 슬픈 아가야..."

사가가 하나에게 두 팔을 내밀었다.

사가가 하나를 공주님 안기를 한 후, 그 자리에서 빠르게 날았다.

어찌나 빠른 지, 빛의 속도와 같았다.

결국 검객들은 김하나를 놓치고 말았다.

*

도정희와 길봉구 역시 악마들이 숨긴 덕분에 무사할 수 있었다.

"......이 곳에 머물면 잠시만이라도 검객들이 안 올 수 있을 거야."

비카가 말했다.

"....갑자기 이런 일이 닥치다니. 창조주의 변덕이란, 알 수가 없어."

치키가 말했다.

*

다음 날 아침.

함께 비밀 동굴 속에서 잠을 잔 하나와 사가였다.

하나가 먼저 일어났고, 옆에서 자고 있는 사가를 보자 놀란다.

"...악마도 잠을 자나?"

하나가 말했다.

"..아니. 악마는 잠을 잘 필요는 없어. 필수사항은 아닌 거지."

사가가 말하며 눈을 떴다.

"....사가. 괜찮아요?"

하나가 말했다.

"...괜찮아. 다만, 네가 다칠까봐 많이 걱정한 것 뿐이야."

사가가 말했다.

"...원래 악마들은 거짓말을 그렇게 잘해요?"

하나가 말했다.

"거짓말 아니야!

....너에게만큼은, 내 진심이야."

사가가 말했다.

"....그럼 다행이구요."

하나가 말했다.

"...오늘부터는 잠잠해질거야. 하지만 안심해선 안 돼. 오늘은 학교에 가지 마. 검객들 때문에 위험하니까."

사가가 말했다.

"...하지만..."

하나가 말했다.

"...내 말 들어! 너 그러다 죽으면, 진짜로 지옥으로 떨어지게 돼.

난 이제는....... 네가 그 꼴 당하는 거 못 보겠어!"

사가가 말했다.

"....알았어요. 오늘만 학교 안 갈게요."

하나가 말했다.

하루 종일 비밀 동굴 안에서 사가와 하나는 둘이 있어야 했다.

"...안 심심해요? 밖에도 못 나가는데."

하나가 말했다.

"....너랑 있으면 안 심심해. 천하의 김하나잖아?"

사가가 말했다.

"...그것 참 다행이네요."

하나가 말했다.

".....있잖아, 널 만난 건 내 행운인 것 같아. 널 만나기 전까진 사랑이

뭔지 잘 몰랐었거든? 그런데 이제야 알았어. 사랑이란 건, 그냥 김하나 너야."

사가가 말했다.

그러자 하나가 웃기 시작했다.

"...하하하.. 그게 뭐예요? 사랑이 나라니... 너무 웃기잖아!"

하나가 말했다.

"....정말이야. 넌 사랑받기 위해 태어난 존재인 걸. 하늘에서 내쫓긴 타락천사인

나와는 달리 말이야."

사가가 말했다.

"....사가가 하늘에서 내쫓겨서 악마가 된 거예요?"

하나가 말했다.

"....지금 이 순간에도 수많은 천사들이 창조주의 명령을 거역해서 지옥으로

떨어지고 있어. 믿기지 않겠지만 말이야."

사가가 말했다.

"....그렇구나...."

하나가 말했다.

"....난 하늘에서 문학을 관장하는 천사였구, 인간을 너무 많이 사랑한 죄로

우상숭배로 몰려서 하늘에서 내쫓기게 되었어. 그래서 악마가 된 거지."

사가가 말했다.

"......헤에... 어렵네요.... 그 쪽 세계란 건..."

하나가 말했다.

"....근데 재미없어! 문학 같은 건. 다 악마가 관장하는 거걸랑."

사가가 말했다.

"그럼 혹시..... 나랑 노는 게 재밌어요? 사가."

하나가 말했다.

"....당연하지! 처음엔 네가 무조건 지옥에 가기를 바랬었는데, 이제는 생각이

바뀌었어. 내가 기도해볼게. 네가 천국에 갈 수 있게끔 말이야."

사가가 웃으여 말했다.

"....고마워요, 사가."

하나가 말했다.

"....우리 루시퍼님은 말이야. 하늘에서 한 때 음악을 관장하는 대천사였었어.

.....비카 역시, 음악을 관장하는 천사였다가, 음란죄로 지옥으로 떨어져 악마가

된 거지만."

사가가 말했다.

".....악마들 세계란.... 무섭네요.."

하나가 말했다.

"...너도 내가 우상숭배를 했다고 생각해?"

사가가 말했다.

"....흠.... 짝사랑을 너무 심하게 했다고 한다면.... 우상숭배일 수도 있지 않을까요?

상대방이 싫었을 수도 있잖아요."

하나가 말했다.

"....맞아. 난 나쁜 놈이야. 천하 제일의 나쁜 놈-."

사가가 말했다.

".....사가는 뭘 사랑해요? 혹시... 나?"

하나가 말했다.

".....응. 너. 그런데, 루시퍼님이 말리신다. 아무래도 내 인간 사랑은, 말릴 수가 없나봐~"

사가가 말했다.

".....그럼 그 사랑도, 우상숭배겠네요?"

하나가 말했다.

"....우상숭배란 건, 우상에게 절하는 걸 말하는 거야."

사가가 말했다.

"....내가 안 받아주면요."

하나가 씨익 웃으며 말했다.

"....글쎄? 그건 잘...."

사가가 말했다.

"나도 사가를 좋아해요! 하지만 아직은 좋아하는 것 뿐이예요. 사랑은...

아닌 것 같아요. 미안해요."

하나가 말했다.

그러자 사가가 씁쓸하게 웃었다.

"...뭐, 그럴 수도 있는 거지!"

사가가 말했다.

"...어차피 우리는, 이루어질 수 없는 사랑이잖아요. 난

인어공주같은 사랑은

하기 싫어요. 그런 사랑은.... 물거품처럼 사라지니까
요."

하나가 말했다.

"김하나 네가 원한다면, 이 세상의 사랑 모두 다 네게
줄 수도 있어."

사가가 말했다.

".....사가의 힘이라면, 날 연애하게끔 만들 수도 있겠
죠. 하지만 악마의 힘으로

시작된 연애가 행복할 수 있을까요? 난 아닐 수도 있
다고 생각해요."

하나가 말했다.

"....김하나 네가 연애를 원한다면 연애하게 만들어 줄
수도 있어."

사가가 말했다.

"...정말 내가 다른 남자와 연애해도 사가가 괜찮겠어
요?"

하나가 말했다.

".....응. 넌 인어공주같은 사랑은 하기 싫어하니까. 신
데렐라같은 사랑만 해야하니까."

사가가 말했다.

*

다음 날 아침.

하나가 일어나보니 자신의 방 안이었다.

그런데, 사가가 없다.

"....사가. 사가?..."

하나가 애타게 부르며 이리저리 찾아봐도, 사가는 온데간데 가고 없다.

".....사가!!"

하나가 소리쳤다.

그래도, 사가는 없다.

*

"....아무래도 안 되겠다. 넌 진심으로 그 김하나라는 여자를 사랑하는구나.

악마로써 해서는 안 될 감정을 가지게 된 거야!"

루시퍼가 말했다.

"...죄송합니다, 루시퍼님."

사가가 말했다.

"....오늘 부로 김하나에게 다가가지 마라. 일주일 간이다.

일주일 중에 하루라도 김하나와 마주쳤다간, 너의 인간 모습은 더 이상 없는 줄 알아라!"

루시퍼가 말했다.

"...알겠습니다."

사가가 말했다.

*

"사가 못봤어? 정희야."

하나가 정희에게 물었다.

"...사가? 그게 누구야?"

정희가 말했다.

"....김사가. 김사가... 우리 학교 다녔었잖아. 모르겠
어?"

하나가 말했다.

"....전교생 중에 그런 학생 있었냐고 한 사람 한 사람
씩 다 물어봐라.

없을 걸~"

정희가 말했다.

"....이럴 수가...."

하나가 말했다.

*

사가와 함께 있었던 비밀 동굴 안.

그 곳으로 하나가 학교가 끝나자 마자 달려갔다.

"사가!! 사가!! 난 사가 없으면.... 아무 것도 못한단 말이야..."

하나가 혼잣말로 소리쳤다.

으르릉.....

하나의 뒤에서 이상한 소리가 들렸다.

들개들이 모여들은 소리였다.

"꺄악!!"

하나가 무서워서 그 자리에서 쓰러졌다.

그러자 들개들이 하나에게 몰려들어 하나를 물려고 한다.

"으아악-!!"

하나가 소리쳤다.

"....이런, 이런. 귀염둥이들....."

치키가 나타나 들개들을 모두 자신의 편으로 만든 후 하나를 쳐다봤다.

".....김하나. 너 때문에 사가가 일주일 간 지옥에서 못 나오게 된 거 알아?"

치키가 말했다.

"일주일 간...? 지옥에서..?"

하나가 말했다.

*

"악마들의 지옥이란, 악독한거야. 사가의 경우에는 몬스터의 모습을 한 원래
모습을 하고선 지옥에 떨어진 인간들을 괴롭혀야 해. 여러 가지 방법으로 인간들을
죽여야 하지. 최대한 잔혹한 방법으로 말이야. 그러면 그 불지옥 속에서 계속 인간들은
소생하게 돼. 죽지 않고 계속 고통 받는 거지."
치키가 말했다.
이 곳은 사가의 집 안이다.
".....그럼... 사가는 일주일 간 벌을 받으러 간 거야?"
하나가 말했다.
"...응. 악마들은 원래 지옥에서 사람들에게 형벌을 가할 수도 있고, 지상에서 인간들과
계약하고 도움을 줄 수도 있어."
치키가 말했다.
".....나와는 거리가 먼 얘기 같은데?"
하나가 말했다.
"...너에게도 포함이 되는 소리야. 너도 죽으면 지옥으로 갈테니까. 물론 사가는
믿고 싶지 않겠지만."
치키가 말했다.
"....살아있을 때도 고통인데, 죽어서도 고통이라니! 그

게 무슨 소리야!"

하나가 말했다.

"...걱정 하지 마. 살아있을 때 고통을 받은 인간들은,
죽어서는 천국에 가니까."

치키가 말했다.

"....그럼, 나한테 하고 싶은 말이 도대체 뭔데?"

하나가 말했다.

"...그냥. 우리 사가 너무 미워하진 말아달란 말?"

치키가 싱긋- 웃으며 말했다.

8.

BGM:YENA(최예나)-SMARTPHONE

일주일 뒤.

사가가 드디어 돌아왔다.

그날 밤.

그날 밤은 사가가 일주일 만에 드디어 돌아온 밤이었
고,

또 그만큼, 사가의 눈빛이 차가워진 밤이었다.

"도대체 너란 인간은 왜 태어난 걸까."

사가가 말했다.

"....사가... 도대체 왜 이래..."

하나가 말했다.

"...날 쳐다 보지 마!! 다 너 때문에 이렇게 된 거니까, 다 네 책임이야. 이제는 난 슬퍼할 힘도 없으니까."

완벽한 인간 모습을 한 사가는 슬퍼할 힘이 없다면서 슬프고도 싸늘한

모습을 했다.

"....도대체 뭐가 그렇게 슬프고 또.... 싸늘한 모습을 한 거야?"

하나가 말했다.

".....이제는 너에 대한 마음이 바뀌었어. 김하나. 너를 지독히도 괴롭혀

주겠다. 그래야만 너에 대한 내 마음을 완전히 접을 수 있을 것 같거든."

사가가 말했다.

그것도 악독하게 웃으며.

*

다음 날 학교.

왠지 하나에 대해 수군거리는 소리가 들린다.

그리고는 하나에게 날달걀들을 던졌다.

"꺄아악!!"

하나가 소리를 지르며 날달걀을 피하려고 안간힘을 쓰

지만, 소용이 없다.

"후후훗...."

멀리서는 하나가 전교생에게 괴롭힘 당하는 모습을 사가가 교복을 입은

모습으로 지켜보고 있다.

"...나 좀 도와줘!! 사가!!"

하나가 사가에게 소리쳤다.

"....도와달라면 도와줘야지. 안 그래?"

사가가 그 소리를 듣고선 전교생을 뚫고선 하나에게 다가갔다.

그리고선 찬 물을 하나의 머리 위에 들이부었다.

하나의 얼굴은 순식간에 찬 물로 휩싸였다.

"...네가 졸려하는 것 같아서. 잠 좀 깨라고. 찬 물이니까, 괜찮지?"

사가가 웃으며 말했다.

"...계약자한테 이러면 후회할텐데. 넌 지상에서 내가 살아있는 동안에는

나한테 잘 할 의무가 있어. 사가."

하나가 말했다.

"....푸하하!!! 그런 법은 누가 어떻게 정한 거지?? 난 그런 법은 듣도보도

못했는데 말야!!!"

사가가 말했다.

사가의 괴롭힘은 다음 날부터 점점 수그러들더니, 일주일 째 되는 날에는 거의

없다시피 했다.

그리고 8일 째 되는 날에는, 괴롭힘이 아예 없어지더니, 하나가 전교생에게

사랑받게 악마의 힘을 써주었다.

"....미안해. 김하나. 내가 미쳤었나 봐. 지상의 모든 것들을 가진 내가 그래선

안됐던 건데...."

사가가 말했다.

"....아니야, 그나저나, 초여름이다. 그렇지?"

하나가 싱긋 웃으며 말했다.

".....파란색 교복이 잘 어울리네. 김하나."

사가가 말했다.

파란색 하복을 입은 김하나는 완벽했다.

하늘색 하복 블라우스에 파란색 똑딱이 리본, 파란색과 흰색이 혼합된 하복 치마를

입은 하나는 귀여웠다.

".....고맙다! 하하하."

하나가 말했다.

"...나, 그냥 이 감정을 내 벌이라고 생각하려구. 어차피 악마와 인간은

이어질 수 없잖아. 네가 했던 말처럼 말이야. 그래

서.... 이 감정을 내 벌이라고

생각하고, 계속 가지고 가려고. 그러니 조심해. 악마이

자 늑대 한 마리가

네 주위를 서성이고 있다는 것 말이야."

사가가 말했다.

"사가 네가 악마이자 늑대라구? 하하하. 믿기지가 않는

다, 야."

하나가 말했다.

*

그날 밤.

하나가 고급 침대 위에서 새근새근 자고 있다.

그 모습을 사가가 슬픈 눈빛으로 쳐다보고 있다.

"....이 모든 게 언젠가는 꿈처럼 흩어지겠지만... 날 너

무 미워하지 말아줘."

사가가 말했다.

"....."

"....사랑해, 김하나."

사가가 말하며 웃었다.

그리고는 자고 있는 하나의 이마에 입맞춤을 했다.

*

한적한 주말이다.

요새는 악령술사로써 일도 없겠다, 하나가 일어나자마
자 하품을 하며 기지개를
켰다.

"....우리, 다같이 놀러가자! 사가!!"

하나가 신나서 소리쳤다.

*

그래서....

비카와 길봉구, 치키와 도정희, 사가와 김하나가 모였
는데....

비카가 운전하는 전용 비행기가 너무 빠르게 난다.

"으아악!! 이러다 다 죽겠어!! 천천히 날아!!"

치키가 겁에 질려하며 손잡이를 꽉 붙잡고선 말했다.

"조용히 해!! 우린 지금 베를린에 가고 있는 거니까!!"

비카가 말했다.

"...베를린?? 거기가 어디예요??"

하나가 말했다.

"독일에 있는 베를린을 말하는 거야."

사가가 말했다.

"거기까지 가려면 오래 걸리잖아!"

하나가 말했다.

"그러니까 지금 빨리 가고 있잖아!!"

비카가 말하며 거칠게 전용 비행기를 몰았다.

"....이러다 진짜 죽을까 봐 겁이 나는 군."

봉구가 말했다.

"...그건 나도 마찬 가지야."

정희가 말했다.

*

독일 베를린에 무사히 도착했다.

생각보다 오래 걸리진 않았다.

"멋있구나~ 언제봐도, 베를린은 말이야~"

비카가 말하며 선글라스를 벗었다.

그러자, 비카의 아름다운 외모에 사람들이 모두 다 넋
을 잃고 쳐다봤다.

"....난 죽을 뻔 했다."

봉구가 말했다.

"...그건 나도 마찬 가지야."

정희가 말했다.

"아까부터 둘이서만 왜 그렇게 얘기하는 거야?? 나도
좀 껴주라, 응~?"

치키가 웃으며 말했다.

"....여기가 독일의 베를린이구나~"
하나가 감탄하며 베를린을 쳐다봤다.
너무 너무 멋있는 곳이었다.
적어도 열일곱의 김하나에겐 말이다.

*

베를린의 명소에 가서 사진도 찍고, 맛집에 가서 밥도
먹고, 즐거운 시간들을
보냈다.
그리고, 주말이 끝난 시간.
또 공포의(?) 비카의 운전 시간이 시작되었다.
"다들 손잡이 꽉 잡아!!!"
비카가 말했다.
전용 비행기는 출발했고, 빠르게 날아가기 시작했다.
어찌나 빠른 지, 구역질이 다 날 정도였다.

*

다음 날 아침.
학교.
강령술을 하다가 귀신에 빙의되었다는 학생을 만나서
빙의를 풀어주기로 했다.

점심 시간이 끝나고, 사가와 하나는 체육관에서 그 학생과 함께 만났다.

"....악마야, 그 안에서 나와라!!"

하나가 소리치자, 학생 안에 있던 악마 4만 마리가 빠져나왔다.

그리고 나서야 그 학생이 쓰러졌다.

"괜찮아요?"

하나가 물었다.

"...괜찮아. 너는.... 김하나?!"

학생이 말했다.

"...나를 알아?"

하나가 말했다.

"....당연하지!! 우리 학교에서 김사가랑 김하나 모르면 간첩인 걸!!

유명한 커플이잖아!!"

학생이 말했다.

그러자 하나가 기분이 안 좋아지긴 했지만 내색하진 않았다.

".....고마워."

하나가 말했다.

*

"언제까지 우리가 커플이라고 거짓말 칠 거예요?"

하나가 말했다.

"....글쎄~ 네가 원하면 커플이라고 안 할 수도 있고. 그렇게 해줄까?"

사가가 말했다.

".....진짜 커플도 아닌데 커플이라고 거짓말 치는 건 좀 아닌 것 같아요, 사가."

하나가 말했다.

"....그럼 지금부터 할까? 진짜 커플 말이야."

사가가 말했다.

"...생각 할 시간을 주세요."

하나가 말했다.

"....칫. 그러면 안 해줘!"

사가가 말했다.

"....자, 잠시만요. 진짜 커플.... 그러면 100일 간 사귀는 조건으로 해요!!

그 후에는 연장을 하던 안 하던 하는 걸로!!"

하나가 말했다.

"진짜로 나랑 사귀고 싶은 거 맞아? 네가 원하면 얼마든지 멋진 왕자님과

연애하게 할 수 있는데."

사가가 말했다.

"....그.... 그건....."

하나가 말했다.

"...거 봐!! 말 못 하잖아!! 또 나만 진심이지!!"

사가가 말했다.

"...나, 나도 사가가 좋아요!! 그럼 된 거 아니예요?!"

하나가 말했다.

"....그래, 좋아. 그럼 100일 간 진짜 연애 하는 걸로. 오케이?"

사가가 말했다.

그것도 씨익 웃으며 말이다.

*

그렇게 시작 되었다.

사가와의 진.짜. 연.애.

그날 밤.

늘 자는 걸 지켜만 보던 사가가 오늘은 어찌된 일인지 고급 침대 옆자리에 눕는다.

"꺄아악!! 옆에 은근슬쩍 왜 누워요?!?!?!"

하나가 소리쳤다.

"..왜? 뭐가 문제야? 난 너의 진.짜. 남자친구인걸?"

사가가 말했다.

"....그, 그건 그렇긴 한데...."

하나가 말했다.

"....네가 미성년자라 안 건들이는 것 뿐이야. 명심해
둬."

사가가 말했다.

"....그것 참 무서운 소리네요."

하나가 말했다.

"미성년자만 아니었으면 확!! 잡아먹는 거였는데..."

사가가 말했다.

"얼른 잠이나 자요."

하나가 말했다.

"....너 자는 거 보고."

사가가 말했다.

"...마음대로 해요. 사가는 안 자도 상관 없으니까...."

하나가 말했다.

그리고는 하나는 잠에 들어버렸다.

그 모습을 사가가 옆자리에 누워서 빤-히 쳐다보다가,

이내 자신도 잠에 든다.

*

다음 날 아침.

"....꺄아악!!"

하나가 소리를 질렀다.

옆자리에서 자고 있는 사가를 보고선 말이다.

"...아, 시끄러워......."

사가가 얼굴을 찌푸리며 일어났다.

"...아... 어제 사가가 옆에서 같이 잤지? 어젯 밤에 나한테 이상한 짓 했어요??"

하나가 말했다.

"...뭐 볼 것도 없구만. 하긴 뭘 해?"

사가가 말했다.

"....볼 게 없다니!! 그럼 어제 우리 같이 잔 거예요?!?!?"

하나가 얼굴이 새빨개져서는 말했다.

"....응. 같이 잠만 잤어. 왜. 그래서 싫어?"

사가가 말했다.

"....아, 아니... 그런 건 아니고...."

하나가 말했다.

"그럼 도대체 뭐가 문젠데?"

사가가 말했다.

"....아, 아무 것도 아니예요."

하나가 말했다.

"...아직 학교 등교하려면 한참 멀었으니까 좀 더 자."

사가가 말했다.

"...아, 알았어요..."

하나가 말했다.

하나가 자리에 눕자, 덩달아 사가도 옆자리에 누웠다.

하나가 옆에서 새근새근 자고 있는 사가를 쳐다봤다.

".....왜 쳐다 봐?"

사가가 눈을 감고 있는 채로 말했다.

"...아니, 그냥...."

하나가 말했다.

"....잠이 안 와? 그럼 일어나서 학교 갈 준비-..."

사가가 말했다.

"나, 이상해요. 가슴이 막 뛰어요. 설레고... 나 미친 거 맞죠?"

하나가 말했다.

그러자 사가가 눈을 떴다.

사가와 하나가 누워서 눈이 마주쳤다.

"....아니. 하나도 안 이상한데? 나도 지금 너 때문에 가슴이 뛰어.

설레고. 같이 이상한 거니까, 이상한 거 아니야."

사가가 말했다.

하나가 졸리다는 듯 눈을 감더니, 곧 잠들었다.

학교 갈 시간이다.

사가가 일어나서 교복을 다 입고, 하나를 깨웠다.

"...일어나. 김하나."

사가가 말했다.

"....5분 만 더~"

하나가 말했다.

"...후.... 안 일어나면 키스공격 해버린다????"

사가가 말했다.

"...키.... 키스???? 으악!!"

하나가 놀라며 벌떡 일어났다.

"...그래, 그래야지."

사가가 씨익 웃으며 말했다.

*

"나도 너희들이랑 친해지고 싶은데."

길봉구가 정희와 하나, 사가에게 손을 내밀었다.

그 손을 하나가 정희가 잡았다.

"...넌 어디에서 왔니?"

정희가 말했다.

"...나 옆 학교에서 오늘부로 전학 왔어. 아, 그리고 하지 못한 얘기가

있는데... 비카와 치키도 오늘 부로 이 학교-....."

봉구가 말했다.

"이 학교 학생이다!!"

비카가 교복을 입고선 말했다.

"...그건 나도 마찬 가지라구, 소년, 소녀들~"

치키가 교복을 입은 모습으로 말했다.

".....다들.... 우리 학교 학생이라고??!!"

하나가 믿기지 않는다는 듯한 표정으로 말했다.

그건 옆에 있던 정희도 마찬 가지였다.

사가는 표정이 썩창이 되어있었다.

공지

제목:안녕하세요. 공시 과락한 작가입니다.

공무원 시험을 봐서 문제지를 갖고와서 채점을 해본 결과...

예... 과락이 나왔습니다.

그래서 앞으로 어떻게 해야할지 생각을 해봤는데,

연재와 공부를 동시에 하는 것도 좋을 것 같아요.

어려울 거란 거 아는데, 솔직히 말하면 10점이 나왔거든요.

도저히 공부를 해도 가망이 없는 점수라(...) 연재와 공부를 동시에 해야할 것 같습니다.

기다려주시는 독자분이 계시다면 감사하다고 인사를 드리고 싶구요.

다음 화는 쓸 수 있으면 쓰도록 하겠습니다.

감사합니다.

작가의 말:기다려주시는 독자분이 없다는 게 슬프긴 하네요...

이것도 안 되고 저것도 안 되고 참 사람 미치는 것 같아요...

어른으로 살아가기가 하늘의 별따기보다 어려운 것 같습니다...

ㅠ_ㅠ광광 운다...

9.

BGM:소향-월하(환상연가 OST)

그 날 밤.

"....너와 난 어차피 이어질 수 없는 관계.

영원불멸의 존재지.

난 너를 사랑하는 척해야만 하는 존재이고 말이야."

자고 있는 하나 앞에서 사가가 말을 했다.

"...어차피 넌 내 진짜 모습을 보면 떠나게 될 거야.

어쩔 수 없는 인간이니까."

사가가 말하더니 가려했다.

...가려하는 사가를 하나가 잠결에 붙잡았다.

"....가지 마... 더 이상 아무도 잃고 싶지 않아..."

하나가 훌쩍훌쩍 울면서 말했다.

"어린 나이에 얼마나 힘들었을까.

어린 나이에 얼마나 세상이 무너지는 것만 같았을까.

내가 만약 천사였다면, 너를 더 생각해줄 수 있었을텐데-."

사가가 말했다.

"....당신은 나에겐 악마가 아니에요. 날 구원하러 온,

나의 천사이죠-."

하나가 말했다.

"아니, 틀렸어. 난... 천국에 갈 너를 지옥으로 끌고 갈,

흉측하고 괴상한 마귀일 뿐이야."

사가가 말했다.

그리고 사가는 그 곳에서 사라졌다.

"흑흑……"

하나는 그 밤 속에서 홀로 눈물을 흘렸다.

하나의 사가를 향한 사랑은 더욱 더 커져만 갔고, 그럴 수록 하나는

사가를 향한 사랑을 숨기며, 싫어하는 척 할 수 밖에 없었다.

사람들의 시선이 무서워서.

그리고, 사가의 날 향한 사랑이, 진심이 아닌, 진짜가 아닌 가짜일까 봐.

그게 너무나도 무서워서.

사랑이 없는 사랑이란, 그렇게도 무서운 거였다.

……정말 바보같게도.

*

다음 날 아침.

하나는 감기에 심하게 걸려 결석을 하게 되었다.

"....오늘은 그냥 쉬어. 널 감기에 안 걸리게 할 순 있
지만, 학교 다니는 게

보통 힘든 일이 아니니까. 아프단 핑계로 쉬는 게 최
고지."

사가가 말했다.

사가는 오늘 검은 수트에 파란색 레이스를 달았는데,
그 모습 조차도 아름다웠다.

"콜록콜록... 사가는 왜 오늘 학교 안 가요?"

하나가 말했다.

"네가 안 가니까. 당연한 거 아니야? 난 너와 일심동체
라구."

사가가 말했다.

"....피식, 그게 뭐야....

....사가. 사가는 날 진심으로 사랑해요?"

하나가 말했다.

하나의 말에 사가는 말문이 막혀왔다.

"당연히 너를 진심으로 사랑하지."

사가가 말했다.

사실 사가는 자신의 마음을 잘 몰랐다.

아니, 알 수 없기도 하고.

원래의 모습은 흉측한 몬스터의 모습을 한 괴물이니
까.

"……나는…. 사가가 싫어요."

하나가 말했다.

'…나는… 사가가 좋아요.'

하나가 생각했다.

"흉측한 모습을 내게 보여봐요. 어차피 난 당신을 싫어하니까."

하나가 말했다.

"….그건 안 돼. 네가 지옥에 갈 때까진 비밀이야."

사가가 말했다.

'또 나를 불꽃같은 사랑으로 몰아세울 작정이구나.'

하나가 생각했다.

"…그래도요. 한 번만요.

그래야 지옥에 갔을 때 사가를 알아볼 수 있지 않을까요?"

하나가 말했다.

그러자 사가가 하나의 앞에서 원래의 모습인 땅딸보 몬스터의

모습으로 변신했다.

3초 뒤, 다시 잘생긴 인간의 모습으로 변신하긴 했지만 말이다.

"놀랐지? 방금 전 내 모습이 원래 내 모습이야."

사가가 말했다.

"……사가는, 원래 악마 모습도 귀엽네요."

하나가 말했다.

"...귀엽다고? 너... 머리가 어떻게 된 거 아니야?"

사가가 말했다.

"네. 전 사가가 싫으니까요."

하나가 말했다.

'사가가 좋으니까.'

하나가 생각했다.

"날 너무 싫어하진 말라구. 난 널 꼬셔야 할 의무가 있는 몸이걸랑."

사가가 말했다.

"누가 시키기라도 했나요? 루시퍼가?"

하나가 말했다.

"....맞아. 난 루시퍼님의 말씀을 따라야만 하니까, 널 꼬셔야만 해.

내게 연애용으로 흠뻑 빠지게끔. 아, 그러면 원래 모습을 보어줘선

안됐는데. 내가 넘어갔네?"

사가가 말했다.

"...괜찮아요. 난 사가의 일심동체잖아요."

하나가 말했다.

*

그날 밤.

하나가 엄마, 아빠와 어릴 적 자신의 모습이 들어있는 한 장의

사진을 보며 쓰다듬는다.

"...뭐 해? 김하나."

사가가 와서 물었다.

"....엄마와 아빠는 왜 날 버렸을까, 왜 나는 친척도, 친구도 하나도

없을까, 생각 하고 있었어요."

하나가 말했다.

환하게 웃고 있는 어린 시절의 하나와 그의 친아빠와 친엄마.

그 모습이 왠지 처량하게만 느껴졌다.

"네 머릿 속에 있잖아. 네 부모님 말이야."

사가가 말했다.

"....피식... 그러면 뭐해요. 난 버림 받았는데-."

하나가 말했다.

"....사가가 아니었다면 난 죽었을거에요."

하나가 말했다.

".....그건 맞아."

사가가 말했다.

"..피식... 쓸쓸한 현실이네요."

하나가 말했다.

"....왜? 다시 찾고 싶어? 찾고 싶으면 다시 찾게 해줄 수도 있어."

사가가 말했다.

"날 버린 사람들 다시 찾고 싶진 않아요."

하나가 말했다.

"그럼 대체 뭘 원하는데? 이것도 싫다, 저것도 싫다. 도대체 네 입맛에

맞는 걸 찾을 수가 없잖아!"

사가가 성질을 내며 말했다.

"....그건..."

하나가 말했다.

"이러다간 네가 이루고 싶은 걸 하나도 이룰 수가 없다고!

날 이용할 수가 없잖아? 날 이용하란 말이야! 제발!"

사가가 말했다.

"...사가. 사가가 언젠가 나한테 밀했었죠. 내가 사가를 좋아하게

만들어야 한다고 말이에요. 그리고 그 사랑은..... 루시퍼가 시킨 거라고요."

하나가 말했다.

"....그렇지."

사가가 말했다.

"...그렇다면.... 날 진심으로 사랑한다고 말해봐요. 그

게 내 소원이니까."

하나가 말했다.

자신의 마음을 모르는 사가는 그 말을 하기가 어려웠다.

"......김하나, 널 진심으로 사랑해."

사가가 말했다.

....자신의 마음을 알지 몰라도, 진심까지는 모르는 사가가, 하기엔 어려운

말이었다.

"그럼 됐어요. 듣고 싶은 말이었거든요. 사랑 없는 내 삶에-

한 번쯤은 들을 수도 있는 말이잖아요. 진심으로 사랑한다는 말.

그리고.... 언젠가는 저도 할 수 있겠죠. 진심으로 사랑한다는 말."

하나가 말했다.

"넌 다음 생이 만약 있다면 뭘로 태어나고 싶어?"

사가가 물었다.

"....다음 생이 있나요?"

하나가 말했다.

"아니. 물론 없지. 다음 생은 지옥 뿐이야. 천국에 가기도 하고 말이야."

사가가 말했다.

"....그렇다면, 천국에서 인간으로 태어나야죠."

하나가 말했다.

"....만약 인간세계에 인간으로 태어날 수 있다면?"

사가가 말했다.

"혈혈단신 천애고아로 살아본 제 입장으로썬, 인간으로 태어나고 싶진 않아요."

하나가 말했다.

"....난 인간세계에 인간으로 살아보고 싶기도 해. 만약에 할 수 있다면 말야-.

재밌을 것 같지 않아? 인간으로 한 세상 살다 가는 것 -. 난 그것도 좋다고 생각해.

내가 악마라 그런가-."

사가가 말했다.

"그럼 나도 다시 태어나서 인간세계에 인간으로 태어난 사가를 괴롭혀줘야겠네요!

지금 이렇게 악마한테 괴롭힘 받고 있으니까요."

하나가 말했다.

"이게 괴롭힘이야? 서비스지? 이건 말야, 괴롭힘이 아니라 서비스라고 하는 거야.

립서비스. 악마의 최고급 서비스."

사가가 말했다.

"....그래도, 이런 서비스는 좋네요. 지옥이 아니라, 다음 세상이 있다는 것-.

다음 세상만으로 지옥이겠지만, 소중한 인연들을 만날
수 있다면 나쁘진 않을 것 같아요."

하나가 말했다.

"난 인간세계에 인간으로 태어나면, 제일 먼저 인간을
사랑해보고 싶어.

난 악마라, 인간을 절대 사랑할 수 없게 되어있거든."

사가가 말했다.

사가의 말에 하나의 마음이 아파왔다.

".....그래요. 인간은 이기적인 동물이라, 사랑하지 않는
게 나을 수도 있어요."

하나가 말했다.

"왜?"

사가가 말했다.

"인간의 마음은 갈대 같거든요. 어느 때는 곧게 서있다
가, 바람이 불면 금방 휘어지죠.

그래서 저는 인간이 싫어요. 날 버린 것도 인간, 날 붙
든 것도 인간이니까."

하나가 말했다.

".....나는 악마니까, 립서비스를 해주자면, 윤회가 있다
고 믿으면 좋아.

다음 세상에 인간이나 동물로 태어난다는 것은, 지옥
으로 가는 것보다 더 잔혹하거든."

사가가 말했다.

"왜 그렇게 생각해요?"

하나가 말했다.

"....내가 지옥에서 수많은 사람들을 괴롭혀봤지만, 수많은 악마의 괴롭힘보다,

불에서 타는 고통보다, 더 힘든 건, 인간세계에서 괴롭힘 당하는 것을 더 힘들어했어.

그러니 난, 당연히 윤회설을 주장해야 하는 거구. 악마니까."

사가가 말했다.

"만약에, 다음 세상에, 사가와 내가, 인간세계에 인간으로 만난다면 어떻게 될까요?"

하나가 말했다.

".....그럼..... 슬픈 마지막이 되겠지."

사가가 말했다.

"...."

".....모든 것은 이 생에서 끝나야만 하는 거니까. 그래야 행복한 마지막인 거니까."

사가가 말했다.

".....우린.... 행복하게 끝날 수 있을까요?"

하나가 말했다.

"...아마, 안 되겠지. 너와 난 그저, 악마와 인간. 그 뿐이니까."

사가가 말했다.

"립서비스일 뿐이라도.... 난 널 사랑해. 김하나.

그리고 이건 립서비스가 아닌데.... 네가 진심으로 천국
에 갔으면 좋겠어.

....난 좀 혼나면 되지만, 이제는 김하나 네가 행복한
걸 바라게 됐거든."

사가가 말했다.

".....그래요."

하나가 말했다.

'립서비스일 뿐인 사랑이란다. 역시 악마는 악마구나.'

하나가 속으로 생각했다.

'사가가 바라는 대로 내가 천국에 가기 위해선, 사가를
싫어하는 척

해야 해. 그래야 천국에 갈 확률이 높아지겠지.'

하나가 생각했다.

"....오늘은 이만 자."

사가가 말했다.

"....네. 잘게요."

하나가 말했다.

그리고는 최고급 침대에 누웠다.

그리고 잠에 들었다.

*

다음 날 아침.

사가가 보이지 않는다.

"사가. 사가!!"

하나가 울면서 최고급 저택 안에서 사가를 불러보지만,

대답이 없다.

"....사가마저 날 버렸나? 아니야... 있을 거야...."

하나는 학교에 가는 것도 잊은 채 사가를 찾으러 나섰다.

하지만 사가는 어느 곳에도 보이지 않았다.

"학교에 가야지. 애송이."

그런 하나의 뒤에서 사가의 능익은 목소리가 들렸다.

그러자 하나가 눈물을 흘리며 사가를 껴안았다.

"....사가마저 날 버리는 줄 알았어...."

하나가 말했다.

"....아니야. 난 절대 널 버리지 않아."

사가가 말하며 하나를 토닥여주었다.

"이제 학교 가야지? 학생이니까."

사가가 웃으며 말했다.

사가의 웃음에 하나의 마음이 떨렸다.

하지만 애써 숨기며 말한다.

"...그래야지."

*

학교에 가자 떠들썩하다.

도정희와 김하나, 길봉구는 악마들의 힘으로 학교 내 인기짱이 되어있었다.

어딜 가나 시선들이 쫓아다니고, 사랑한다는 말 투성이다.

'나와 사가도 이런 관계인거겠지... 아무런 애정 없는, 모르는 사람의

사랑한다는 말을 듣는 그런 관계....'

하나가 생각했다.

".....사가!! 내 고백을 받아줘!!"

한 여학생이 사가에게 수제 초콜릿을 내밀며 고백을 했다.

"미안해. 난 여자친구 사귈 마음이 없어서."

사가가 웃으며 거절했다.

그러자 그 여학생이 도망쳐버렸다.

"...어이, 사가. 너무한 거 아니야?"

치키가 말했다.

"....난 저런 거에 관심 없어."

사가가 말했다.

"..."

'다행이다. 사가가 고백을 받아주지 않아서.'

하나가 생각했다.

사가와 하나가 눈이 마주치더니, 사가가 웃었다.

그러자 하나가 고개를 홱 돌려 얼굴이 빨개지더니 고개를 푹 숙였다.

작가의 말:안녕하세요. 작가 여회현입니다. 갑진년 좋은 한 해 되시길 바라겠습니다.

10.

BGM:IVE(아이브)-Kitsch(졸작)

하나는 그저 관심이 받고 싶었다.

하나가 좋아하는 사가에게, 관심이 받고 싶었다.

그래서, 미친 짓을 했다.

횡단보도 빨간불에서 고속도로에 뛰어들었다.

빠앙-!!!

클락션 소리와 함께 하나는 차에 치였다.

아니, 분명 차에 치였는데.....

그런데.....

멀쩡히 걸어다닌다.

죽지도 않았다.

사가의 힘 덕분이었다.

"야, 너 진짜-!!!!"

사가가 놀란 눈으로 하나를 쳐다봤다.

그리고는 그 곳에서 다른 곳으로 이동해버렸다.

도착한 곳은 하나의 집.

"....너 죽을 뻔 했잖아!!!! 도대체 왜 그런 거야!!!"

사가가 소리쳤다.

"....사가가 나한테 관심을 가져주길 바랬어. 그래서..."

하나가 눈물을 뚝뚝 흘리며 말했다.

"...아무리 그래도 그렇지, 그러다 네가 죽기라도 했으면...!!"

사가가 말했다.

"....미안해."

하나가 말했다.

"...후... 미안할 건 없고. 손수건으로 눈물이나 닦아."

사가가 고급 손수건을 내밀었다.

하나가 받아서 눈물을 닦았다.

"네가 만약에 이대로 죽었다면, 난 정말 살 수가 없었을 거야."

사가가 말했다.

그리고는 침대에 다리를 꼬고 앉아 검정색과 적색 레이스가 혼합된 수트를

입고선 담배를 피기 시작했다.

최고급 담배였다.

".....미성년자 앞에서 담배는 너무한 거 아니야? 사가."

하나가 말했다.

"네가 언제 나한테 여자 아닌 적 있었나?"

사가가 말했다.

"...뭐?"

하나가 말했다.

하나가 당황해서 우물쭈물하고 있었을까,

사가가 피식 웃으며 담뱃불을 껐다.

"너 그러고 있으니까 되게 귀엽다."

사가가 말했다.

".....사가, 너 악마야. 여기서 이러고 있으면 안 돼."

하나가 말했다.

"....내가 악마인게 뭐? 너한테 문제될 거라도 있어?"

사가가 말했다.

"...넌 네 마음도 제대로 모르잖아. 그래서 내가 이 지
경까지 온 거고.

이제 그만 할 순 없는거야?"

하나가 말했다.

".....내가 이대로 그만 두면 후회할텐데? 널 이대로 죽
일 수도 있어."

사가가 말했다.

"...그... 그건..."

하나가 두려움에 뒤로 뒷걸음질쳤다.

그러다가 자리에 주저앉았다.

"....나도 널 사랑해, 김하나. 하지만, 그 사랑이 진심인지, 아닌지는

난 잘 몰라. 왜냐하면, 난 악마니까. 하지만 이것만은 약속할게.

예전과는 다르게, 난 거짓사랑이 아니라 진짜사랑으로 바뀌었다는 거."

사가가 말했다.

"......."

하나가 아무 말 없이 사가를 쳐다보았다.

"...하지만, 넌 날 진심으로 사랑하지 않는 것 같아."

사가가 피식, 쓰게 웃으며 말했다.

잘생긴 그의 얼굴이 일그러져 보였다.

"....왜 그렇게 생각해.... 사가...."

하나가 말했다.

'사가' 너의 두 글자 이름만 들어도, 불러도 이렇게 가슴이 뛰는데.

너의 흔들리는 모습을 보아도 난 네가 그립기만 한데.

사가를 쳐다보는 이 와중에도 난 이렇게 심장이 뛰는데.

김하나,

네가 병신인거니?

바보인거니.

하지만.... 사가 너는....

내겐 잡을 수 없는 허공과도 같은 걸.

그래서 난 더더욱 다가설 수 없는 걸.....

".....넌 나한테......"

쨍그랑-!!!!!!!

거대한 유리가 깨지는 소리와 함께 하나는 말을 할 수가 없었다.

어떤 젊은 여성 시체 하나가 하나의 집 안으로 깨고 들어왔으니까.

....최고급 유리라 깨지지 않는 유리인데도.

처참하게도.

"........쳐다보지 마."

사가가 얼른 하나의 두 눈을 손으로 가렸다.

"뭔데?"

하나가 물었다.

"...아무 것도 아니야."

사가가 눈 앞에서 여성 시체를 치웠다.

마력으로 말이다.

*

[사가의 정체는 악마다. 그런 악마와 계약한 사탄의 종인 김하나를

세상에 까발려주겠다.]

익명의 쪽지가 나타났다.

어찌 생각해보면 많이 유치한 쪽지.

하지만, 김하나에겐 끔찍한 쪽지.

그 쪽지를 사가와 김하나도 보고 말았다.

그리고, 그 여성 시체를 보낸 것도 쪽지를 보낸 사람
의 짓이라는 것도.

"도대체 누구냐고! 이런 짓을 하는 사람이!"

도정희가 소리쳤다.

이 곳은 비밀 아지트 안.

책상에 둥그렇게 모여 앉은 여섯 명.

"......아직 누군지는 몰라. 너무 성급하게 생각하지는
마."

사가가 말했다.

"......하지만, 이대로 가다간 하나의 목숨이 위험해지겠
어."

치키가 말했다.

*

3일 후.

그 사람의 정체가 밝혀졌다.

여성 시체와 쪽지를 보낸 그 사람은 젊은 여자였는데,
사탄과 계약을

하고 싶었지만 하지 못하자, 앙심을 품고 악마 사가와
계약을 한 하나의 정체를

알고선 괴롭혀댔던 것이었다.

우리는 여자의 정체가 궁금해졌다.

"......노정의라고 해요. 나이는 27살이에요."

여자가 말을 하더니, 미안하다고 사과를 하고선 가려고 했다.

"잠깐만."

사가가 이끌리듯 노정의의 손목을 잡았다.

"....???"

정의가 놀란 듯 사가를 쳐다봤다.

"...아름다우시네요, 레이디."

사가가 싱긋 웃으며 말했다.

그 웃음에,

그 웃음이 자신을 향하지 않음을 처음으로 느낀 그날,

그 날은 정말로 세상에 사랑이 없다는 걸 하나가 느낀 날이었다.

그리고,

하나가 세상을 짝사랑한다는 것을 깨닫게 된 날이기도 했다.

*

11.

BGM:권진아-그날 밤

그날 밤.

사가는 아무 말 없이 침대에서 등을 돌리고 누워 잠을

자기 시작했다.

덕분에 하나는 사가의 뒷 모습 밖에 볼 수가 없었다.

"....사가. 오늘 처음으로 내가 아닌 다른 사람에게 웃어준거 알아?"

하나가 말했다.

하지만 사가는 등을 돌려 누운 채 아무런 말도 하지 않았다.

"....무슨 일 있는 거야?"

하나가 말했다.

"...."

그러나 사가는 대답 하나 없다.

*

사가는 하나가 잠에 든 후에야 그 침대 속을 빠져나왔다.

"...미안해. 김하나. 너에 대한 사랑이 바뀐 것 같아.

....난 노정의한테 가겠어. 하지만 너랑 한 계약은 버리지 않을게."

사가가 슬프게 웃으며 말했다.

하나는 잠이 든 척을 하고 있던 상태였기에 그 소리를 다 듣고 있었다.

사가의 농익고도 잘생긴, 슬프게 웃으며 말하는 그 목소리를.

*

사가는 하나가 잠이 든 줄 알고 노정의를 만나러 갔
다.

"....무슨 일이세요? 이 오밤 중에?"

정의가 말했다.

"...내가 너에게 반했다고 하면 믿어줄건가?"

사가가 말했다.

"...네?"

정의가 말했다.

둘은 서로에게 휩싸여 키스를 하기 시작했다.

....그걸 몰래 지켜보던 하나가 몰래 울음을 터뜨렸다.

'사가에게 나란 존재는 아무 것도 아닌 존재였어.'

하나가 생각했다.

그리고는 그 곳에서 도망쳤다.

정의와 사가의 키스가 끝난 후.

"나도 하고 싶어요. 당신의 신부요."

정의가 말했다.

사가와 정의는 다시 한 번 더 키스를 진하게 했다.

전의 키스보다 더 농익고도 진한 키스였다.

*

투다닥-.

달려가던 하나가 갑자기 발에 걸려 넘어졌다.

"아야!!"

하나가 아파하며 쓰러졌다.

"흑흑... 흑흑....."

하나가 있던 곳은 사람 많은 도심가.

하나는 이내 곧 일어나 절뚝이며 걸어가기 시작했다.

한 쪽 무릎이 피가 나 쓰라려왔다.

*

하나의 집.

그러나, 아무도 없다.

하나는 대충 한 쪽 무릎에 약과 밴드를 붙이고선,

잠에 들었다.

내일은 휴일이기 때문이다.

...아무도 없을, 그런 휴일 말이다.

*

다음 날.

다음 날도 역시 사가는 집에 들어오지 않았다.

멍하니 창 밖을 쳐다보는 일이 많아졌다.

하나는 말이다.

...부모에게 버림 받고, 사가에게마저 버림 받았다.

생각이 거기까지 미치자, 사람이 안 미칠 수가 없었다.

"..그냥 죽어버릴까."

하나가 혼잣말했다.

"...아니야. 그래도 난 사가와 계약자인 걸."

하나가 혼잣말했다.

"화이팅!! 악!! 쓰려..."

어제 다친 한 쪽 무릎이 갑자기 고급침대에서 일어남과 동시에

쓰라렸다.

*

하나는 현재 도서관에서 공부 중이다.

고1답게 열심히 공부를 하고 있는데, 도무지 시간이 가질 않는다.

결국 집중을 하지 못하고 1시간 반 만에 집으로 돌아오고 말았다.

"....공부에도 재능이 없고... 노력에도 재능이 없고... 휴..."

하나가 한숨을 내쉬며 고급 책가방에서 도서관에 공부하러 가지러 갔었던

공부할 책들을 꺼내어 자신의 고급 책상 위에 올려놓기 시작했다.

그런데, 툭- 소리를 내며 떨어진 꽃모양 보석 펜던트.

그 펜던트 목걸이는 초록빛의 큰 보석이 가운데에 박혀있는 목걸이였다.

".....뭐지? 예쁜데? 이거."

하나가 그 목걸이를 목에다 걸었다.

"윽!"

하나가 그 목걸이를 걸자마자, 노정의와 함께 있던 사가가 고통스러운

신음소리를 냈다.

"....왜 그래? 사가."

정의가 물었다.

"...아무 것도 아니야."

사가가 말했다.

짐짓 고통스러운 표정으로.

*

초록색의 꽃모양 펜던트 목걸이는 제 주인을 찾아간 것 뿐이었다.

그 목걸이는 마력의 목걸이.

자신이 사랑하는 존재가 인간이 아니라면, 보름달이 뜨는 기간 동안에만

인간으로 만들어줄 수 있는 신비한 목걸이였다.

*

사가가 하나의 집에 도착했다.

짐짓 화난 표정으로.

"...사가! 왔어요?"

하나가 말했다.

"...너, 대체 나한테 무슨 짓을 한 거야?"

사가가 말했다.

"...네?"

하나가 말했다.

"....그 목걸이는.... 어디서 얻은 거야?"

사가가 말했다.

"....모르겠어요. 가방 안에 있었어요."

하나가 말했다.

"나도 처음 보는 목걸이인데....."

사가가 말했다.

"어쨌든, 난 이제부터 노정의랑 놀테니까.... 윽!!"

사가가 고통스러워 했다.

"...왜 그래요, 사가?"

하나가 말했다.

"이상해.... 마력이 없어졌어... 그리고....

....원래 내 흉측한 괴물 모습으로 변하질 않아...."

사가가 말했다.

"...뭐라구요?"

하나가 말했다.

"...오늘이 보름달이 뜨는 날이지? 설마, 너.....

플라워스톤이 널 따라다니는 거야? 그렇다면 난 너와 계약을

파기할 수 밖에 없어!"

사가가 말했다.

"...플라워스톤?"

하나가 말했다.

"......꽃모양의 목걸이인데, 자신의 마음에 드는 인간을 쫓아다니며

목에 걸게끔 유혹하는 목걸이야. 그리고 그 효능은, 만약 자신이

사랑하는 상대가 인간이 아닌 존재일 경우, 보름달이 뜰 때만 그 상대가

인간이 되게끔 할 수가 있어."

사가가 말했다.

"....뭐가 그리 복잡해요?"

하나가 말했다.

"...어쨌든, 난 내 마력 못 잃어!! 땅딸보 몬스터의 모습으로 사는 한이

있더라도!!! 다시 돌려줘!!!"

사가가 말했다.

"...나도 어떻게 하는 지 몰라요! 아, 목걸이를 빼볼까요?"

하나가 말했다.

"소용없어. 그 목걸이는 한 번 목에 걸면 끝이야. 그 목걸이의 주인이 된다구."

사가가 말했다.

"....그럼... 어떻게 해요? 사가."

하나가 말했다.

"다시 되돌리러 가야지. 악령술사 김하나를 만들기 위해선."

사가가 싱긋- 웃으며 말했다.

*

완전한 악마로 만들어준다는 문스톤을 찾으러 방학 동안에 길을 나서기로 했다.

"....고마웠어요. 사가."

정의가 슬프게 웃으며 손을 흔들었다.

사가도 손을 흔들었다.

이로써 노정의와의 인연은 끝났고,

치키,비카,사가,도정희,길봉구,김하나는 문스톤을 찾으러 가기 위한 한 달

동안의 짧은 여정을 가기로 했다.

물론, 방학 숙제는 다 끝내놓고 말이다!

*

"다시 완전한 악마가 될 거야. 난 불완전한 존재로 영생을 살고 싶진 않거든."

사가가 말했다.

"....인간도 죽으면 영생을 사나요?"

하나가 물었다.

"...사실 그것도 아무도 몰라. 창조주의 변덕은 상상을 초월하거든."

비카가 대답했다.

*

한 달 동안의 여정.

붉은 괴물의 뜨거운 뱃 속으로 들어가기 시작했다.

"이 곳에 문스톤이 있을 거야. 달 모양의 목걸이 말이야."

사가가 말했다.

그런데, 갑자기 붉은 괴물의 뱃 속이 울렁거리기 시작하면서,

사가와 하나를 둘이 붙여 놓았다.

"....!!!!"

"..!!!!!!"

둘은 놀라며 서로를 밀어냈다.

"....다 네 탓이야. 네가 플라워스톤을 꼬시지만 않았어도."

사가가 말했다.

"....그게 왜 내 탓이에요?"

하나가 말했다.

"...몰라. 다 네 탓이야!! 내가 널 사랑할 거란 착각도 하지 마!!

....예전엔 그랬을지 몰라도, 지금은 아니야."

사가가 말했다.

"...어쩜 사람이... 그렇게 쉽게 변할 수가 있어요?"

하나가 말했다.

"....그건....."

사가가 말했다.

"꺄아악-!!!"

정희의 비명소리에 울퉁불퉁한 붉은 괴물의 뱃 속에서 사람들이

달려나갔다.

"...정희야!!!"

하나가 소리쳤다.

정희는 끈적끈적한 액체가 싫었던 거였다.

"깜짝 놀랐잖아.."

봉구가 말했다.

"....우리, 더 이상 시간을 지체할 수가 없어. 이 곳을 50분 내로 나가야 해.

안 그러면 우린 이 곳에서 자멸하게 될 거야."

비카가 말했다.

다들 고개를 끄덕였고,

결국 그들은 50분 내에 문스톤 대신 스타스톤을 얻는 것을 성공했다.

"스타스톤이야. 사랑하는 사람과 영원히 행복할 수 있게 만들어주는 행운의 목걸이."

치키가 말했다.

"뭐야? 그럼 난 필요 없잖아!"

사가가 말했다.

그러나 스타스톤은, 사가에게만 반응했다.

"....이거 왜 이래?"

사가가 말했다.

"스타스톤이, 사가가 좋은가 봐. 사가에게만 반응하네."

비카가 말했다.

"....난 이딴 목걸이 달고 다니고 싶지 않다구!!"

사가가 말했다.

"....간직하는 것만 해도 효능이 있다는데? 남자한텐 말이야."

도정희가 말했다.

"에이 씨, 이상한 것만 알게 됐잖아!"

사가가 말했다.

*

그날 밤.

하나의 집에서 최고급 2인용 침대에서 사가와 하나는 잠을 자기 시작했다.

사가는 새근새근 잠을 잘만 잤다.

그 모습을 바라보던 하나가 말한다.

"......사가의 사랑이 나라면 얼마나 좋을까...."

그리고선 슬프게 웃었다.

그리고는 잠에 들었다.

*

-사가의 꿈 속-

"사가. 사가!!"

또 그녀다.

김하나, 그녀는 악독하게도 나를 지독히도 쫓아온다.

그녀가 날 부른 목소리를 외면한 채 걸어가는데, 그
곳은 어둠이다.

어둠 속에서 허우적대다, 누군가가 내 손을 잡아 꺼내
주었는데,

그건 바로.... 김하나다.

-현실-

"헉.... 헉...."

사가가 꿈을 꾸고 일어나고 나서 잠옷 가슴팍을 부여
잡고 식은땀을 흘린다.

"...왜 그래? 사가. 무슨 일 있었어?"

하나가 말했다.

"아무 것도 아니야."

사가가 말했다.

"....사가. 혹시 나 안 좋아해?"

하나가 사가에게 얼굴을 가까이 한 후 물었다.

그러자 사가가 얼굴이 빨개졌다.

"...얼굴 치워!!"

사가가 말했다.

"....그럴 줄 알았다. 기대한 내가 바보지. 나도 동성동
본은 싫네요~

김사가님."

하나가 말했다.

그 말에 사가가 얼굴이 일그러졌다.

"....동성동본 아니야."

사가가 말했다.

"...그럼 뭔데?? 사가도 김씨고, 나도 김씬데."

하나가 말했다.

"...그... 그건...... 난 경주 김씨고, 넌.... 김해 김씨야."

사가가 말했다.

그러자 하나가 푸하하-! 하고 웃기 시작했다.

"왜, 왜 웃어?!"

사가가 말했다.

"....그게 말이 된다고 생각해?? 성만 같아도 동성동본
이라고 하는 거야!!"

하나가 말했다.

"....어쨌든, 난 사가라는 악마라니까!!! 김사가가 아니
구!!!!"

사가가 말했다.

"....보름달 뜨는 날에는 인간으로 변한다는, 그 김사
가~???"

하나가 푸하하 웃으며 말했다.

"....너 자꾸 놀린다..????"

사가가 말했다.

"알았어, 알았어~!! 김사가가 아니라, 사가!!! 그냥 사
가!!
인정!!!"

하나가 말했다.

"......너와 멀어지는 짓은 이젠 하긴 싫어."

사가가 작은 목소리로 말했다.

"..응? 뭐라고? 사가."

하나가 말했다.

"아무 것도 아니야! 우리 아이스크림 먹으러 갈까?"

사가가 싱긋 웃으며 말했다.

12.

보름달이 뜨는 그날 밤.

아이스크림을 사러 가던 그날 밤이었다.

사가가 인간으로 바뀌어버렸고,

아이스크림을 사러 아이스크림집으로 가던 그날 밤......

난 교통사고가 났다.

내 몸이 붕 떠서.......

가라앉았다.

"김하나-!!!!!!!!!!"

애절하게 들려오는 사가의 외침.

그리고 김하나는.....

싸늘한 주검이 되었다.

보름달이 다 저물고 나서야 다시 악마로 돌아올 수 있었지만,

이미 하나는 죽고 없어진 뒤였다.

하나는 천국에 인간으로 있었다.

"여기가 어디죠?"

하나가 물었다.

"여기는 천국입니다."

천사가 말했다.

"제가 어떻게.... 천국에 올 수 있죠?

사가. 사가는요?"

하나가 물었다.

"그는 이미 쫓겨난 존재니까요. 이 곳엔 들어올 수 없습니다."

천사가 말했다.

"사가, 사가-!!!!!!"

하나가 천국에서 울부짖으며 사가를 찾았다.

그건 사가도 마찬가지였다.

*

하나의 장례식장 안.

"김하나-!!!!"

사가가 눈물을 흘리며 울부짖었다.

*

다음 생이 있다면...

우린 행복할 수 있을까?

미안해....

이런 나라서........

....정말 미안해......

하나가 생각했다.

세상은 정말 미쳤어.

라는 생각도 함께.

*

그로부터 3년 후.

창조주는 결단을 내리셨다.

"사가를 천국에 인간으로 데려와라."

"네? 하지만..... 우상숭배죄로 내쫓으셨잖아요."

창조주의 천사가 말했다.

".....그의 죄는 인간을 너무나도 사랑한 죄.

우상숭배죄는 아니었다. 내가 판단을 잘못한것 같구
나."

창조주가 말했다.

"...알겠습니다. 그를 당장 데려오도록 하겠습니다."

창조주의 천사가 말했다.

"허나, 사람을 너무나도 사랑하여 음욕을 품은 것은 사
실이므로,

인간으로 돌아오게 하라."

창조주가 말했다.

*

이로써, 사가는 다시 천국으로 돌아올 수 있었다.

완벽한 인간의 모습을 한 잘생긴 사가는 하얀색 수트를 입었다.

보석들이 잔뜩 달린 하얀 수트를 말이다.

"저와 함께하시겠어요? 레이디."

인간으로 돌아온 사가를 하나가 눈물을 흘리며 껴안았다.

".....고마워. 내게 돌아와줘서."

하나가 말했다.

"영원불멸의 존재가 되었네? 김하나. 천국에서의 영원한 인간으로."

사가가 말했다.

".....그렇지!"

하나가 웃으며 말했다.

"사랑했었고, 사랑하고, 앞으로도 사랑할거야."

사가가 말했다.

".....내가 더 사랑해. 사가. 설령 네가 인간이라 하더라도."

하나가 말했다.

둘은 껴안았다.

그리고 행복하게 영생을 누렸다고 한다.

-The End-

작가의 말:안녕하세요! 작가입니다! 어렵게 완결을 냈
는데요!

마지막화 내용이 생각이 안 나서 어려웠던 작품이었어
요!

마지막화 내용을 뭘로 해야할지 감이 안 잡히더라구
요....

그래도 잘 마무리 된 것 같아 다행입니다!!

더 길게 쓰고 싶었는데 짧게 마무리 되어서 슬프네요
흑흑.....

조아라에서 새로운 소설을 쓰게 되어서 혹시나.... 그
소설을 계속

연재하게 될까 봐 이 소설을 완결짓게 되었습니다.

항상 건강하세요.

감사합니다.

2024.3.1.~4.20.